LAS RESPUESTAS DE DIOS A SUS PREGUNTAS

Guía Rápida de Referencias Bíblicas

Pacific Press® Publishing Association
Nampa, Idaho
Oshawa, Ontario, Canadá
www.pacificpress.com

Redacción: Armando Juárez
Diseño del interior: Steve Lanto
Diseño de la tapa: Dennis Ferree
Foto de la tapa: Justinen Creative Group

Copias adicionales de este libro pueden ser adquiridas en:
http://www.pacificpress.com

ISBN 13: 978-0-8163-9411-1
ISBN 10: 0-8163-9411-3

09 10 11 • 5 4 3

Contenido

CAPÍTULO 1

El Futuro

LA PROFECÍA comentada en este capítulo ha sido denominada por algunos como "el bosquejo profético de la historia". Es un mapa caminero de la humanidad a lo largo de los siglos, trazado con anticipación. Presta al viajero de la vida el mismo servicio que una guía de trenes al pasajero que quiere saber cuáles serán las próximas estaciones. Pero la trascendencia de sus informaciones es de un valor incomparablemente superior. Las profecías de Daniel son de especial interés "en el tiempo del fin", cuando las "entenderán los entendidos" (Daniel 12:9, 10).

LA GRAN IMAGEN DE DANIEL 2

¿Qué declaró Nabucodonosor, rey de Babilonia, a los sabios a quienes había reunido?

"Y el rey les dijo: *He tenido un sueño*, y mi espíritu *se ha turbado por saber el sueño*" (Daniel 2:3).

Después de haber sido amenazados con la muerte si no daban a conocer el sueño y su interpretación, ¿qué dijeron los sabios al rey?

"Los caldeos respondieron delante del rey, y dijeron: *No hay hombre sobre la tierra que pueda declarar el asunto del rey; además de esto, ningún rey*, príncipe ni señor preguntó cosa semejante a ningún mago ni astrólogo ni caldeo. Porque el asunto que el rey demanda es difícil y *no hay quien lo pueda declarar al rey, salvo los dioses cuya morada no es con la carne*" (vers. 10,11).

DANIEL Y EL SUEÑO

Después que los sabios hubieron confesado así su incapacidad de hacer lo que el rey requería, ¿quién se ofreció para interpreter el sueño?

"Y *Daniel* entró y pidió al rey que le diese tiempo, y que él mostraría la interpretación al rey" (vers. 16).

Después que Daniel y sus compañeros hubieron buscado fervientemente a Dios, ¿cómo se le reveló a Daniel el sueño y su interpretación?

"Entonces el secreto fue revelado a Daniel *en visión de noche*, por lo cual bendijo Daniel al Dios del cielo" (vers. 19).

Cuando fue llevado a la presencia del rey, ¿qué dijo Daniel?

"Daniel respondió delante del rey, diciendo: El misterio que el rey demanda, ni sabios, ni astrólogos, ni magos ni adivinos lo pueden revelar al rey. *Pero hay un Dios en los cielos, el cual revela los misterios*, y él ha hecho saber al rey Nabucodonosor lo que ha de acontecer en los postreros días. He aquí tu sueño, y las visiones que has tenido en tu cama" (vers. 27, 28).

¿Qué dijo Daniel que el rey había visto en su sueño?

"He aquí tu sueño, y las visiones que has tenido en tu cama: ... Tú, oh rey, veías, y he aquí una gran imagen. Esta imagen, que era muy grande, y cuya gloria era muy sublime, estaba en pie delante de ti, y su aspecto era terrible" (vers. 28, 31).

¿De qué estaban compuestas las diferentes partes de la imagen?

"La cabeza de esta imagen era de *oro* fino; su pecho y sus brazos, de *plata*; su vientre y sus muslos, de *bronce*; sus piernas, de *hierro*; sus pies, *en parte de hierro y en parte de barro cocido*" (vers. 32, 33).

¿Por medio de qué fue rota en pedazos la imagen?

"Estabas mirando, hasta que *una piedra* fue cortada, no con mano, e hirió a la imagen en sus pies de hierro y de barro cocido, y los desmenuzó" (vers. 34).

¿Qué sucedió con las diversas partes de la imagen?

"Entonces fueron desmenuzados también el hierro, el barro cocido, el bronce, la plata y el oro, *y fueron como tamo de las eras del verano, y se los llevó el viento* sin que de ellos quedara rastro alguno. Mas la piedra que hirió a la imagen fue hecha un gran monte que llenó toda la tierra" (vers. 35).

DANIEL Y LA INTERPRETACIÓN

¿Con qué palabras comenzó Daniel la interpretación del sueño?

"Tú oh rey, eres rey de reyes; porque el Dios del cielo te ha dado reino, poder, fuerza y majestad. Y dondequiera que habitan hijos de hombres, bestias del campo y aves del cielo, él los ha entregado en tu mano, y te ha dado el dominio sobre todo; *tú eres aquella cabeza de oro*" (vers. 37, 38).

Nota.—La naturaleza del Imperio Neobabilónico está indicada adecuadamente por el material que componía la porción de la imagen que lo simbolizaba; la cabeza de oro. Era "el áureo reino de un siglo de oro". La metrópoli, Babilonia, alcanzó un grado de sin igual magnificencia.

¿Cuál sería la naturaleza del siguiente reino?

"Y después de ti se levantará otro reino *inferior al tuyo*" (vers. 39, p.p.).

¿Quién fue el último rey de Babilonia?

"La misma noche fue muerto *Belsasar* rey de los caldeos. Y Darío de Media tomó el reino, siendo de sesenta y dos años" (Daniel 5:30, 31).

¿A quiénes se dio el reino de Belsasar?

"Tu reino ha sido dividido y entregado a los medos y los persas" (vers. 28, BJ).

¿Qué parte de la gran imagen representaba a los medos y persas, el Imperio Persa?

El pecho y los brazos de plata (Daniel 2:32).

¿Qué parte de la imagen representa al Imperio Griego, o Macedónico, que sucedió al reino de los medos y persas?

"*Su vientre y sus muslos, de bronce*" (Daniel 2:32). "Un tercer reino de *bronce*, el cual dominará sobre toda la tierra" (vers. 39).

Nota.—Que el imperio que reemplazó al de Persia era el de los griegos se afirma claramente en Daniel 8:5-8, 20, 21.

¿Qué se dice del cuarto reino?

"Y el cuarto reino será fuerte *como hierro*; y como el hierro desmenuza y rompe todas las cosas, *desmenuzará y quebrantará todo*" (vers. 40).

Nota.—Es bien sabido que el gran poder mundial que absorbió los fragmentos del imperio de Alejandro Magno fue Roma.

¿Cómo se refieren las Escrituras a los emperadores de Roma como gobernantes del mundo?

"Aconteció en aquellos días, que se promulgó *un edicto de parte de Augusto César*, que todo el mundo fuese empadronado" (S. Lucas 2:1).

Nota.—Al describir las conquistas de los romanos, Gibbon usa las mismas imágenes empleadas en la visión de Daniel 2. Él dice: "Las armas de la república, algunas veces vencidas en la batalla, siempre victoriosas en la guerra, avanzaban con pasos rápidos hacia el Eufrates, el Danubio, el Rin y el océano; y las imagenes de oro o plata o bronce, que podían servir para representar a las naciones y a sus reyes, eran quebradas sucesivamente por la férrea monarquía de Roma" (*The History of the Decline and Fall of the Roman Empire* [Historia de la decadencia y caída del Imperio Romano], cap. 38, párr. 1).

LOS FRACASOS DEL HOMBRE PARA UNIR LAS NACIONES

¿Qué se indicaba por la mezcla del barro cocido y el hierro en los pies y dedos de la imagen?

Nota.—Las tribus bárbaras que invadieron el Imperio Romano formaron los reinos que se desarrollaron en las naciones de la Europa moderna.

¿Con qué lenguaje profético se indicó la variada fortaleza de los diez reinos del imperio dividido?

"Y por ser los dedos de los pies en parte de hierro y en parte de barro cocido, el reino *será en parte fuerte, y en parte frágil*" (vers. 42).

¿Se harían esfuerzos para unir los fragmentos del Imperio romano?

"Así como viste el hierro mezclado con barro, *se mezclarán por medio de alianzas humanas; pero no se unirán el uno con el otro, como el hierro no se mezcla con el barro*" (vers. 43).

Nota.—Carlomagno, Carlos V, Luis XIV, Napoleón, el Káiser Guillermo II y últimamente Hitler, trataron todos de volver a unir los fragmentos rotos del Imperio Romano y fracasaron. Se han formado vínculos de parentesco entre familias reales mediante casamientos con el propósito de fortalecer y cimentar la unión del imperio fragmentado, pero sin éxito. Los elementos de desunión subsisten todavía. Se han producido muchas revoluciones políticas y cambios territoriales en Europa desde el fin del Imperio Romano Occidental en 476 d.C.; pero su estado dividido aún permanece.

Este notable sueño, como fue interpretado por Daniel, presenta en la forma más breve y sin embargo con inconfundible claridad una serie de imperios mundiales desde el tiempo de Nabucodonosor hasta el fin de la historia terrenal y el establecimiento del eterno reino de Dios. La historia confirma la profecía. Babilonia era el poder dominante del mundo en los días de este sueño, 603 a.C. El Imperio Persa, que la sucedió y que incluía también a los medos, comenzó en 538 a.C. (La mayoría de los historiadores datan la caída de la ciudad en la parte final del año precedente, 539). La victoria de las fuerzas griegas en la batalla de Arbela, en 331 a.C., marca la caída del Imperio Persa, y los grecomacedonios llegaron a ser la indisputada potencia mundial de aquel tiempo. Después de la batalla de Pidna en Macedonia, en 168 a.C., ningún poder del mundo era bastante fuerte para hacer frente a los romanos; y puede decirse, por lo tanto, que entonces la conducción mundial pasó de los griegos a los romanos, y el cuarto reino fue plenamente establecido. La división de Roma en diez reinos, predicha definidamente en la visión registrada en el capítulo siete de Daniel, se predijo en la centuria precedente al año 476 a.C.

¿Qué va a acontecer en los días de estos reinos?

"Y en los días de estos reyes *el Dios del cielo levantará un reino que no será jamás destruido, ...* desmenuzará y consumirá a todos estos reinos, pero él permanecerá para siempre" (vers. 44).

Nota.—Este versículo predice el establecimiento de otro reino universal, el reino de Dios. Este reino derribará y suplantará a todos los reinos terrenales que existan, y permanecerá para siempre. El establecimiento de este reino habrá de producirse "en los días de estos reyes", según la profecía. Esto no puede referirse a los cuatro imperios o reinos precedentes, porque ellos no fueron contemporáneos sino sucesivos; ni puede referirse al establecimiento de un reino en ocasión del primer advenimiento de Cristo, porque los diez reinos que surgieron de las ruinas del Imperio Romano no existían todavía. Debe referirse, por lo tanto, a los reinos que sucedieron a Roma, representados por las naciones actuales de Europa. Este reino final, entonces, es todavía futuro.

¿En qué anuncio del Nuevo Testamento se da a conocer el establecimiento del reino de Dios?

"El séptimo ángel tocó la trompeta, y hubo grandes voces en el cielo, que decían: *los reinos del mundo han venido a ser de nuestro Señor y de su Cristo;* y él reinará por los siglos de los siglos" (Apocalipsis 11:15).

¿Qué se nos ha enseñado a pedir en oración?

"*Venga tu reino.* Hágase tu voluntad, como en el cielo, así también en la tierra" (S. Mateo 10).

CAPÍTULO 2

Las Sagradas Escrituras

¿Con qué nombre se refirió Jesús a los escritos sagrados del Antiguo Testamento, la Biblia de sus días?

"Jesús les dijo: ¿Nunca leísteis en las Escrituras: La piedra que desecharon los edificadores, ha venido a ser cabeza del ángulo?" (S. Mateo 21:42).

¿Qué otro título se le da a la revelación de Dios al hombre?

"Él entonces respondiendo, les dijo: Mi madre y mis hermanos son los que oyen la palabra de Dios, y la hacen" (S. Lucas 8:21).

Nota.—Es interesante notar que la palabra Biblia no aparece en la Biblia misma. Proviene del latín *biblia*, que viene a su vez del griego *biblia*, que significa "libros". La palabra griega *biblos* (singular de *biblia*) deriva a su vez de *byblos*, que significa "papiro", el nombre del material en el cual se escribían los libros antiguos. Los griegos llamaban *byblos* a este material porque lo conseguían en el puerto fenicio de Byblos.

La Biblia tiene 66 libros y fueron escritos por 35 ó 40 hombres a lo largo de unos 1.500 años. El conjunto de esos libros es llamado la Palabra de Dios, o las Escrituras.

CÓMO FUERON DADAS LAS ESCRITURAS

¿Cómo fueron dadas las Escrituras?

"Toda la Escritura es *inspirada por Dios*" (2 Timoteo 3:16).

Nota.— Cuando los escritores del Nuevo Testamento hablan de la "Escritura" se refieren a los escritos del Antiguo Testamento. Pero como el mismo Dios que inspiró a los escritores del Antiguo Testamento inspiró también a los del Nuevo Testamento, lo que éstos declaran concerniente a la inspiración y el valor de los primeros escritos es igualmente cierto al Nuevo Testamento.

¿Por quién fueron dirigidos los hombres que fueron así portavoces de Dios?

"Porque nunca la profecía fue traída por voluntad humana, sino que los santos hombres de Dios hablaron siendo *inspirados por el Espíritu Santo*" (2 S. Pedro 1:21).

¿Qué ejemplo definido fue mencionado por San Pedro?

"Varones hermanos, era necesario que se cumpliese la Escritura en que *el Espíritu Santo habló antes por boca de David acerca de Judas*, que fue guía de los que prendieron a Jesús" (Hechos 1:16).

¿Quién, por lo tanto, habló por medio de estos hombres?

"*Dios*, habiendo hablado muchas veces y de muchas maneras en otro tiempo a los padres por los profetas" (Hebreos 1:1).

REFERENCIAS GENERALES A CRISTO

¿De quién dijo Cristo que dan testimonio las Escrituras?

"Escudriñad las Escrituras; porque a vosotros os parece que en ellas tenéis la vida eterna; y *ellas son las que dan testimonio de mí*" (S. Juan 5:39).

Nota.—"Escudriñad las Escrituras del Antiguo Testamento, porque ellas son las que dan testimonio de Cristo. El hallarlo en ellas es la legítima finalidad de su estudio. Ser capaz de interpretarlas como él las interpretó es el mejor resultado de toda erudición bíblica" (Dean Alford).

¿De quién escribieron Moisés y los profetas?

"Felipe halló a Natanael, y le dijo: Hemos hallado a aquel de quien escribió Moisés en la ley, así como los profetas: *a Jesús, el hijo de José, de Nazaret*" (S. Juan 1:45).

Nota.—En su traducción del Antiguo Testamento, Elena Spurrell expresó el siguiente anhelo a todos los que pudieran leer su traducción: "Ojalá muchos exclamen, como la traductora lo hizo a menudo cuando estudiaba numerosos pasajes del original: *'¡He hallado al Mesías!'* ".

¿En las palabras de quién, dijo Cristo, debieran los discípulos haberse enterado acerca de su muerte y resurrección?

"¡Oh insensatos, y tardos de corazón para creer todo lo que los *profetas* han dicho! ¿No era necesario que el Cristo padeciera estas cosas, y que entrara en su gloria?" (S. Lucas 24:25, 26).

¿Cómo les aclaró Cristo que las Escrituras daban testimonio de él?

"Y comenzando desde Moisés, y siguiendo por *todos los profetas, les declaraba en todas las Escrituras lo que de él decían*" (S. Lucas 24:27).

CRISTO LA SIMIENTE

¿Dónde se halla la primera promesa de un Redentor?

"Y Jehová Dios dijo a la serpiente: ... Pondré enemistad entre ti y la mujer, y entre tu simiente y *la simiente suya*; ésta te herirá en la cabeza, y tú le herirás en el calcañar" (Génesis 3:14, 15).

¿Con qué palabras se le renovó a Abrahán esta promesa?

"*En tu simiente* serán benditas todas las naciones de la tierra" (Génesis 22:18. Véase también Génesis 26:4; 28:14).

¿A quién se refería esta simiente prometida?

"Ahora bien, a Abraham fueron hechas las promesas, y a su simiente. No dice: Y a las simientes, como si hablase de muchos, sino como de uno: Y a tu simiente, *la cual es Cristo*" (Gálatas 3:16).

LA SEGUNDA VENIDA Y EL REINO DE CRISTO

¿Con qué palabras predice Daniel la recepción del reino por Cristo?

"Miraba yo en la visión de la noche, y he aquí con las nubes del cielo venía uno como *un hijo de hombre*, que vino hasta el Anciano de días, y le hicieron acercarse delante de él. *Y le fue dado dominio, gloria y reino*, para que todos los pueblos, naciones y lenguas le sirvieran; su dominio es dominio eterno, que nunca pasará, y su reino uno que no será destruido" (Daniel 7:13, 14. Véase S. Lucas 1:32, 33; 19:11, 12; Apocalipsis 11:15).

¿Cómo se describe en los Salmos la segunda venida de Cristo?

"Los ríos batan las manos, los montes todos hagan regocijo delante de Jehová, *porque viene a juzgar la tierra*. Juzgará al mundo con justicia, y a los pueblos con rectitud" (Salmo 98:8, 9). "*Vendrá nuestro Dios, y no callará*; fuego consumirá delante de él, y tempestad poderosa le rodeará. Convocará a los cielos de arriba, y a la tierra, para juzgar a su pueblo" (Salmo 50:3, 4).

CAPÍTULO 3

Dios

PARA muchos Dios es el gran desconocido. Pero para quienes prestan atención a las evidencias de su presencia y a las revelaciones de su carácter es la realidad fundamental del universo, el más elevado y fascinante tema de estudio y meditación. En las siguientes declaraciones bíblicas solamente se mencionan algunos de sus atributos. Pero a medida que el estudiante avance en este curso de estudios comprenderá por qué dijo Jesús en oración al Padre: "Esta es la vida eterna: que te conozcan, a ti, el único Dios verdadero, y a Jesucristo a quien has enviado".

LA JUSTICIA Y SANTIDAD DE DIOS

¿Qué dos características fundamentales son parte de la naturaleza de Dios?

"*Justo* es el Señor en todas sus disposiciones, y santo en todas sus obras" (Salmo 144:17, VM).

¿Posee Cristo los mismos atributos?

"Por su conocimiento justificará mi siervo *justo* [Cristo] a muchos" (Isaías 53:11). "Ni permitirás que tu *Santo* vea corrupción" (Hechos 2:27).

"Él es la Roca; perfecta es su obra *porque todos sus caminos son justicia*: Dios de verdad y sin iniquidad, *él es justo y recto*" (Deuteronomio 32:4, VM).

SU PODER, SABIDURÍA Y FIDELIDAD

¿En quién residen la sabiduría y el poder?

"Con *Dios está la sabiduría y el poder*; suyo es el consejo y la inteligencia" (Job 12:13).

¿Qué tesoros están escondidos en Cristo?

"En quien están escondidos *todos los tesoros de la sabiduría y del conocimiento*" (Colosenses 2:3).

Qué se dice de la fidelidad de Dios en el cumplimiento de sus promesas?

"Conoce, pues, que Jehová tu Dios es Dios, *Dios fiel*, que guarda el pacto y la misericordia a los que le aman y guardan sus mandamientos hasta mil generaciones" (Deuteronomio 7:9).

EL AMOR Y LA MISERICORDIA DE DIOS

¿En qué palabra solo se expresa el carácter de Dios?

"El que no ama, no ha conocido a Dios; porque Dios es amor" (1 S. Juan 4:8).

¿Qué se dice de la misericordia de Dios?

"*¡Cuán preciosa, oh Dios, es tu misericordia!* Por eso los hijos de los hombres se amparan bajo la sombra de tus alas" (Salmo 36:7).

SU BENIGNA IMPARCIALIDAD

¿En qué palabras se proclama la imparcialidad de Dios?

"Porque Jehová vuestro Dios es Dios de dioses, y Señor de señores, Dios grande, poderoso y temible, *que no hace acepción de personas*, ni toma cohecho" (Deuteronomio 10:17). "Entonces Pedro, abriendo la boca, dijo: En verdad comprendo que *Dios no hace acepción de personas*, sino que en toda nación se agrada del que le teme y hace justicia" (Hechos 10:34, 35).

¿Para con cuántos es bueno el Señor?

"*Bueno es Jehová para con todos*, y sus misericordias sobre todas sus obras" (Salmo 145:9).

¿Por qué nos dijo Cristo que debemos amar a nuestros enemigos?

"Pero yo os digo: Amad a vuestros enemigos, bendecid a los que os maldicen, haced bien a los que os aborrecen, y orad por los que os ultrajan y os persiguen; *para que seáis hijos de vuestro Padre que está en los cielos, que hace salir su sol sobre malos y buenos, y que hace llover sobre justos e injustos*" (S. Mateo 5:44, 45).

LA AMONESTACIÓN DE CRISTO A SU PUEBLO

¿Cuán perfectos dijo Cristo que deben ser sus seguidores?

"Sed pues, vosotros perfectos, *como vuestro Padre que está en los cielos es perfecto*" (vers. 48).

EL AMOR DE DIOS

(Aquí falta una sección sobre el amor de Dios [p. 54] que se tiene que insertar).

Cuando los hombres aprecien el amor de Dios, ¿qué harán?

"¡Cuán preciosa, oh Dios, es tu misericordia! Por eso los hijos de los hombres *se amparan bajo la sombra de tus alas*" (Salmo 36:7).

LA CONFRATERNIDAD DE LOS CREYENTES

En vista del gran amor de Dios para con nosotros, ¿qué actitud deberíamos adoptar entre nosotros?

"Amados, si Dios nos ha amado así, *debemos también nosotros amarnos unos a otros*" (1 S. Juan 4:11).

¿Hasta qué punto deberíamos estar dispuestos a manifestar nuestro amor al prójimo?

"En esto hemos conocido el amor, en que él puso su vida por nosotros; también nosotros debemos poner nuestras vidas por los hermanos" (1 S. Juan 3:16).

¿Qué exhortación se basa en el amor de Cristo por nosotros?

"*Y andad en amor*, como también Cristo nos amó, y se entregó a sí mismo por nosotros, ofrenda y sacrificio a Dios en olor fragante" (Efesios 5:2).

LOS SABIOS CAMINOS DEL AMOR

¿Sobre qué base obra Dios a favor de los pecadores?

"Pero Dios, que es rico en misericordia, *por su gran amor con que nos amó*, aun estando nosotros muertos en pecados, nos dio vida juntamente con Cristo (por gracia sois salvos), *y juntamente con él* nos resucitó, y asimismo *nos hizo sentar* en los lugares celestiales con Cristo Jesús" (Efesios 2:4-6. Véase Tito 3:5, 6).

¿Qué es capaz de hacer el amor de Dios por sus hijos?

"Mas no quiso Jehová tu Dios oir a Balaam; y Jehová tu Dios te *convirtió la maldición en bendición*, porque Jehová tu Dios te amaba" (Deuteronomio 23:5).

¿De qué otra manera se manifiesta a veces el amor de Dios?

"Porque el Señor al que ama, *disciplina, y azota* a todo el que recibe por hijo" (Hebreos 2:6).

AMOR ETERNO

¿Cuán duradero es el amor de Dios por nosotros?

"Jehová se manifestó a mí hace ya mucho tiempo, diciendo: *Con amor eterno te he amado*; por tanto, te prolongué mi misericordia" (Jeremías 31:3).

¿Puede alguna cosa separar de Dios a sus verdaderos hijos?

"Por lo cual estoy seguro de que ni la muerte, ni la vida, ni ángeles, ni principados, ni potestades, ni lo presente, ni lo por venir, ni lo alto, ni lo profundo, ni ninguna otra cosa creada nos podrá separar del amor de Dios, que es en Cristo Jesús Señor nuestro" (Romanos 8:38, 39).

¿A quién tributarán alabanza los santos eternamente?

"*Al que nos amó, y nos lavó de nuestros pecados con su sangre*, ... a él sea gloria e imperio por los siglos de los siglos" (Apocalipsis 1:5, 6).

El Fin del Pecado y del Sufrimiento

EL MAL con sus funestas consecuencias, se observa por doquiera; en todas las latitudes y a lo largo de toda la historia de la especie humana. Se lo observa en las acciones egoístas que atentan contra los derechos y el bienestar del prójimo, en el odio criminal, en la transgresión de las leyes de la vida, que la Biblia denomina pecado. Y le siguen el dolor, la enfermedad y la muerte. ¿Cuándo y cómo surgió en el universo, creado por un Dios de amor, omnisapiente y todopoderoso? La revelación dilucida "el misterio de la iniquidad" con declaraciones sencillas e inequívocas.

EL SER QUE PECÓ PRIMERO

¿Con quién se originó el pecado?

"El que practica el pecado es del diablo; porque *el diablo peca desde el principio*" (1 S. Juan 3:8).

Nota.—Sin la Biblia, el problema del origen del mal no tendría explicación.

¿Desde cuándo el diablo ha sido homicida?

Vosotros sois de vuestro padre el diablo, y los deseos de vuestro padre queréis hacer. *Él ha sido homicida desde el principio*, y no ha permanecido en la verdad, porque no hay verdad en él" (S. Juan 8:44).

¿Qué relación tiene el diablo con la mentira?

"Cuando habla mentira, de suyo habla; porque *es mentiroso, y padre de mentira*" (el mismo versículo).

¿Fue Satanás creado pecador?

"*Perfecto* eras en todos tus caminos desde el día que fuiste creado, *hasta que se halló en ti maldad*" (Ezequiel 28 15).

Nota.—Ezequiel se refiere aquí a Satanás bajo la figura del "rey de Tiro" (véase el versículo 12). Esta, y la declaración de S. Juan 8:44, de que él "no ha

permanecido en la verdad", muestran que Satanás era perfecto una vez, y estaba en la verdad. San Pedro habla de "los ángeles que pecaron" (2 S. Pedro 2:4), y Judas se refiere a "los ángeles que no guardaron su original estado" (Judas 6, VM). Esos ángeles estaban una vez en estado impecable.

¿Qué declaración adicional de Cristo parece atribuir la responsabilidad del origen del pecado a Satanás y a sus ángeles?

"Entonces dirá también a los de la izquierda: Apartaos de mí, malditos, al fuego eterno *preparado para el diablo y sus ángeles*" (S. Mateo 25:41).

SATANÁS EN CONTRASTE CON CRISTO

¿Qué guió a Satanás al pecado, la rebelión y la caída?

"*Se enalteció tu corazón a causa de tu hermosura, corrompiste tu sabiduría a causa de tu esplendor*" (Ezequiel 28:17). "Tú que decías en tu corazón: *Subiré al cielo; en lo alto, junto a las estrellas de Dios, levantaré mi trono, y en el monte del testimonio me sentaré, a los lados del norte; sobre las alturas de las nubes subiré, y seré semejante al Altísimo*" (Isaías 14:13, 14).

Nota.—En una palabra, el orgullo y la exaltación propia condujeron a la caída de Satanás, y esto no tiene justificación o excusa adecuada. "Antes del quebrantamiento es la soberbia, y antes de la caída la altivez de espíritu" (Proverbios 16:18). De ahí que, aunque podamos conocer el origen, la causa, la naturaleza y los resultados del mal, no es posible dar razón o excusa buena o suficiente de su surgimiento. Excusarlo es justificarlo; y en el momento en que se lo justifica deja de ser pecado. Todo pecado es una manifestación de alguna forma de egoísmo, y sus resultados son opuestos a los que impulsa el amor. El experimento del pecado tendrá como resultado final

su completo abandono y eterno destierro por todos los seres inteligentes de la creación a través de todo el universo de Dios. Solamente los que se aferren obstinadamente al pecado serán destruidos juntamente con él. Entonces los malignos serán destruidos sin que se les deje raíz ni rama (Malaquías 4:1), y los justos brillarán "como el resplandor del firmamento", y "como las estrellas a perpetua eternidad" (Daniel 12:3).

En contraste con el orgullo y la exaltación propia exhibidos por Satanás, ¿qué espíritu manifestó Cristo?

"El cual, siendo de condición divina, no retuvo ávidamente el ser igual a Dios. Sino que *se despojó de sí mismo* tomando condición de siervo, haciéndose semejante a los hombres y apareciendo en su porte como hombre; y *se humilló a sí mismo*, obedeciendo *hasta la muerte y muerte de cruz*" (Filipenses 2:6-8, BJ).

Después que el hombre hubo pecado, ¿cómo le manifestó Dios su amor y su disposición para perdonar?

"Porque de tal manera amó Dios al mundo, que ha dado a su Hijo unigénito, para que todo aquel que en él cree, no se pierda, mas tenga vida eterna" (S. Juan 3:16).

DEFINICIÓN Y NATURALEZA DEL PECADO

¿Qué se declara que es el pecado?

"Todo aquel que comete pecado, infringe también la ley; pues *el pecado es infracción de la ley*" (1 S. Juan 3:4).

¿Qué precede a la manifestación del pecado?

"Entonces la *concupiscencia*, después que ha concebido, da a luz el pecado" (Santiago 1:5).

LOS RESULTADOS DEL PECADO

¿Cuál es el resultado final, o fruto, del pecado?

"Y el pecado, siendo consumado, da a luz la muerte" (el mismo versículo). "La paga del pecado es muerte" (Romanos 6:23).

¿A cuántos seres humanos pasó la muerte como resultado de la transgresión de Adán?

"Por tanto, como el pecado entró en el mundo por un hombre, y por el pecado la muerte, *así la muerte pasó a todos los hombres*, por cuanto todos pecaron" (Romanos 5:12). "En *Adán todos mueren*" (1 Corintios 15:22).

¿Cómo fue afectada la tierra misma en su vegetación por el pecado de Adán?

"*Maldita será la tierra por tu causa*, con dolor comerás de ella todos los días de tu vida. *Espinos y cardos te producirá*" (Génesis 3:17, 18).

¿Qué maldición adicional sobrevino como resultado del primer crimen?

"Y Jehová dijo a Caín: ... Ahora, pues, *maldito seas tú de la tierra*, que abrió su boca para recibir de tu mano la sangre de tu hermano. *Cuando labres la tierra, no te volverá a dar su fuerza*" (Génesis 4:9-12).

¿Qué terrible castigo se acarrearon los antediluvianos como consecuencia de la persistencia en el pecado y la transgresión contra Dios?

"Y dijo Jehová: Raeré de sobre la faz de la tierra a los hombres que he creado". "He decidido el fin de todo ser, porque la tierra está llena de violencia". "Era Noé de seiscientos años cuando el *diluvio de las aguas* vino sobre la tierra". "Aquel día *fueron rotas todas las fuentes del grande abismo, y las cataratas de los cielos fueron abiertas*" (Génesis 6:7, 13; 7:6, 11).

Después del diluvio, ¿qué sobrevino como consecuencia de la apostasía adicional?

"Y descendió Jehová para ver la ciudad y la torre que edificaban los hijos de los hombres. Y dijo Jehová: He aquí el pueblo es uno, y todos éstos tienen un solo lenguaje; y han comenzado la obra, y nada les hará desistir ahora de lo que han pensado hacer. Ahora, pues, descendamos, y confundamos allí su lengua, para que ninguno entienda el habla de su compañero. Así los esparció Jehová desde allí sobre la faz de toda la tierra, y dejaron de edificar la ciudad" (Génesis 11:5-8).

¿A qué condición ha llegado toda la creación como resultado del pecado?

"Porque sabemos que toda *la creación gime a una*, y a una está con dolores de parto hasta ahora" (Romanos 8:22).

LA DILACIÓN DE DIOS EN DESTRUIR EL PECADO

¿Cómo se explica la aparente dilación de Dios en su trato con el pecado?

"El Señor no retarda su promesa, según algunos la tienen por tardanza, sino que *es paciente para con nosotros*, no queriendo que ninguno perezca, sino que todos *procedan al arrepentimiento*" (2 S. Pedro 3:9).

¿Cuál es la actitud de Dios hacia el pecador?

"Porque *no quiero la muerte del que muere*, dice Jehová el Señor; convertíos, pues, y viviréis" (Ezequiel 18:32).

¿Puede el hombre librarse por sí mismo del dominio del pecado?

"¿Mudará el etíope su piel, y el leopardo sus manchas? Así también, *¿podréis vosotros hacer bien, estando habituados a hacer mal?*" (Jeremías 13:23).

¿Cuál es el papel de la voluntad en la determinación de si el hombre vivirá o no?

"Y el Espíritu y la Esposa dicen: Ven. Y el que oye, diga: Ven... y *el que quiera, tome del agua de la vida gratuitamente*" (Apocalipsis 22:17).

CRISTO, EL PECADOR Y SATANÁS

¿Cuánto sufrió Cristo por los pecadores?

"Más él *herido* fue por nuestras rebeliones, *molido* por nuestros pecados; el *castigo* de nuestra paz fue sobre él, y por *su llaga* fuimos nosotros curados" (Isaías 53:5).

¿Con qué propósito se manifestó Cristo?

"Y sabéis que él apareció para quitar nuestros pecados, y no hay pecado en él ... El que practica el pecado es del diablo; porque el diablo peca desde el principio. Para esto apareció el Hijo de Dios, *para deshacer las obras del diablo*" (1 S. Juan 3:5-8).

¿Cuál fue un propósito definido de la encarnación de Cristo?

"Así que, por cuanto los hijos participaron de carne y sangre, él también participó de lo mismo, para destruir por medio de la muerte al que tenía el imperio de la muerte, esto es, al diablo" (Hebreos 2:14).

EL FIN DEL PECADO Y LA TRISTEZA

¿Qué coro triunfal señalará el fin del reinado del pecado?

"Y a todo lo creado que está en el cielo, y sobre la tierra, y debajo de la tierra, y en el mar, y a todas las cosas que en ellos hay, oí decir: *Al que está sentado en el trono, y al Cordero, sea la alabanza, la honra, la gloria y el poder, por los siglos de los siglos*" (Apocalipsis 5:13).

¿Cuándo y por qué medios serán eliminados los efectos del pecado?

"Pero el día del Señor vendrá como ladrón en la noche; en el cual los cielos pasarán con grande estruendo, *y los elementos ardiendo serán deshechos, y la tierra y las obras que en ella hay serán quemadas*" (2 S. Pedro 3:10).

¿Cuán plenamente serán quitados los efectos del pecado?

"*Enjugará Dios toda lágrima de los ojos de ellos; y ya no habrá muerte, ni habrá más llanto, ni clamor, ni dolor; porque las primeras cosas pasaron*" (Apocalipsis 21:4). "*Y no habrá más maldición*; y el trono de Dios y del Cordero estará en ella, y sus siervos le servirán" (Apocalipsis 22:3).

¿Surgirán de nuevo el pecado y sus malos resultados?

"*Ya no habrá muerte*". "*Y no habrá más maldición*" (Apocalipsis 21:4; 22:3).

CAPÍTULO 5

El Hombre que Era Dios

EL TESTIMONIO DEL PADRE

¿Cómo ha manifestado el Padre que su Hijo es una persona de la Deidad?

"*Mas del Hijo dice: Tu trono, oh Dios*, por el siglo del siglo; cetro de equidad es el cetro de tu reino" (Hebreos 1:8).

¿Cómo fue reconocido por el Padre mientras estaba en la tierra?

"Y hubo una voz de los cielos, que decía: *Este es mi Hijo amado*, en quien tengo complacencia" (S. Mateo 3:17).

EL TESTIMONIO DE CRISTO

¿De qué manera se refirió Cristo a la eternidad de su existencia?

"Ahora pues, Padre, glorifícame tú para contigo, con aquella gloria que tuve contigo *antes que el mundo fuese*" (S. Juan 17:5). "Pero tú, Belén Efrata, pequeña para estar entre las familias de Judá, de ti me saldrá el que será Señor en Israel; y sus salidas son desde el principio, desde los días de la eternidad" (Miqueas 5:2. Véase S. Mateo 2:6; S. Juan 8:58; Éxodo 3:13, 14).

¿Qué dice Cristo de su relación con el Padre?

"Yo y el Padre *uno somos*" (S. Juan 10:30).

¿Con qué palabras aseveró Cristo tener igual derecho de propiedad, en el reino, con su Padre?

"Enviará el Hijo del Hombre a sus ángeles, y *recogerán de su reino* a todos los que sirven de tropiezo, y a los que hacen iniquidad" (S. Mateo 13:41).

¿Quiénes están igualmente unidos en el otorgamiento de la recompensa final?

"Pero sin fe es imposible agradar a Dios [el Padre]; porque es necesario que el que se acerca a Dios crea que le hay, y que es *galardonador de los que le buscan*" (Hebreos 11:6). "Porque el Hijo del Hombre vendrá en la gloria de su Padre con sus ángeles, y *entonces pagará a cada uno conforme a sus obras*" (S. Mateo 16:27).

Nota.—En los textos (S. Mateo 16:27; 13:41) en los cuales Cristo se refiere a los ángeles como sus ángeles", al reino como "su reino", y a los escogidos como "sus escogidos", él se denomina a sí mismo "el Hijo del Hombre". Así es evidente que mientras estaba en la tierra como hombre, él reconocía su deidad esencial y su igualdad con su Padre en el cielo.

¿Qué declara Dios que es él mismo?

"Así dice Jehová Rey de Israel, y su Redentor, Jehová de los ejércitos: *Yo soy el primero, y yo soy el postrero*, y fuera de mí no hay Dios" (Isaías 44:6).

¿En qué pasaje de la Escritura adopta Cristo la misma expresión?

He aquí yo vengo pronto, y mi galardón conmigo, para recompensar a cada uno según sea su obra. Yo soy el Alfa y la Omega, *el principio y el fin, el primero y el último*" (Apocalipsis 22:12, 13).

HABLAN LOS APÓSTOLES JUAN Y PABLO

¿Qué pasaje de la Escritura declara que el Hijo de Dios era Dios manifestado en la carne?

"En el principio era el Verbo, y el Verbo era con Dios, *y el Verbo era Dios*". "*Y aquel Verbo fue hecho carne*, y habitó entre nosotros (y vimos su gloria, gloria como del Unigénito del Padre), lleno de gracia y de verdad" (S. Juan 1:1, 14).

¿Qué plenitud habita en Cristo?

"Porque en él habita corporalmente toda la plenitud de la Deidad" (Colosenses 2:9).

El CRISTO ENCARNADO

¿Cómo apareció él en la tierra como Salvador?
"Os ha *nacido* hoy, en la ciudad de David, un Salvador, que es Cristo el Señor" (S. Lucas 2:11).

¿Cómo fue Cristo engendrado en la carne?
"Respondiendo el ángel, le dijo: El *Espíritu Santo* vendrá sobre ti, *y el poder del Altísimo* te cubrirá con su sombra; por lo cual también el Santo Ser que nacerá, será llamado Hijo de Dios" (S. Lucas 1:35).

¿Por qué era necesario que él naciera así, y participara de la naturaleza humana?
"Por lo cual debía ser en todo semejante a sus hermanos, *para venir a ser misericordioso y fiel sumo sacerdote en lo que a Dios se refiere*, para expiar los pecados del pueblo" (Hebreos 2:17).

EL REY DESCENDIÓ Y SE HIZO HUMANO

"*El Rey de gloria* se rebajó a revestirse de humanidad. Tosco y repelente fue el ambiente que le rodeó en la tierra. Su gloria se veló para que la majestad de su persona no fuese objeto de atracción. Rehuyó toda ostentación externa. Las riquezas, la honra mundanal y la grandeza humana no pueden salvar a una sola alma de la muerte; Jesús se propuso que ningún halago de índole terrenal atrajera a los hombres a su lado. Únicamente la belleza de la verdad celestial debía atraer a quienes le siguiesen. El carácter del Mesías había sido predicho desde mucho antes de la profecía, y él deseaba que los hombres le aceptasen por el testimonio de la Palabra divina" (*El Deseado de todas las gentes*, p. 29).

CRISTO, EL ÚNICO SALVADOR

¿Con qué propósito vino Jesús al mundo?
"Palabra fiel y digna de ser recibida por todos: *Que Cristo Jesús vino al mundo para salvar a los pecadores*" (1 Timoteo 1:15).

¿Por qué habría de llamarse Jesús?
"Y llamarás su nombre JESUS, *porque él salvará a su pueblo de sus pecados*" (S. Mateo 1:21).

¿Hay salvación por medio de algún otro?
"*Y en ningún otro hay salvación*, porque no hay otro nombre bajo el cielo, dado a los hombres en que podamos ser salvos" (Hechos 4:12).
"Porque hay un solo Dios, *y un solo mediador entre Dios y los hombres, Jesucristo hombre,* el cual se dio a sí mismo en rescate por todos, de lo cual se dio testimonio a su debido tiempo" (1 Timoteo 2:5-8).

¿Qué fue hecho Cristo por causa de nosotros, y con qué propósito?
"Al que no conoció pecado, por nosotros lo hizo pecado, *para que nosotros fuésemos hechos justicia de Dios en él*" (2 Corintios 5:21).

¿Cuánto dependemos de Cristo para la salvación?
"Separados de mí *nada podéis hacer*" (S. Juan 15:5).

EL CRISTO DIVINO-HUMANO

¿Qué tres elementos esenciales de un Salvador se hallan en Cristo?
La Deidad. "Mas del Hijo dice: Tu trono, *oh Dios*, por el siglo del siglo" (Hebreos 1:8).
La Humanidad. "Pero cuando vino el cumplimiento del tiempo, Dios envió a su Hijo, *nacido de mujer y nacido bajo la ley*" (Gálatas 4:4).
Impecabilidad. "El cual *no hizo pecado, ni se halló engaño en su boca*" (1 S. Pedro 2:22).

¿Cómo mostró Cristo por las Escrituras que el prometido Salvador del mundo debía ser humano y divino?
"Y estando juntos los fariseos, Jesús les preguntó, diciendo: ¿Qué pensáis del Cristo? ¿De quién es hijo? Le dijeron: De David. Él les dijo: ¿Pues cómo David en el Espíritu le llama Señor, diciendo: Dijo el Señor a mi Señor: Siéntate a mi derecha, hasta que ponga a tus enemigos por estrado de tus pies? Pues si David le llama Señor, ¿cómo es su hijo?" (S. Mateo 22:41-45).

Nota.—Alguien ha expresado con propiedad esta importante verdad concerniente a la unión del Cristo humano y el Cristo divino en los siguientes términos: "La divinidad necesitaba de la humanidad para que ésta pudiese proporcionarle un medio de comunicación entre Dios y el hombre. El hombre necesita un poder exterior y superior a él para restaurarlo a la semejanza de Dios. Debe haber un poder que obre desde el interior. Una nueva vida procedente de lo alto, antes que los hombres puedan ser cambiados del pecado a la santidad. Ese poder es Cristo".

Teniendo tan maravilloso Salvador, ¿qué se nos exhorta a hacer?
"Por tanto, teniendo un gran sumo sacerdote que traspasó los cielos, Jesús el Hijo de Dios, *retengamos nuestra profesión*. Porque no tenemos un sumo sacerdote que no pueda compadecerse de nuestras debilidades, sino uno que fue tentado en todo según nuestra semejanza, pero sin pecado" (Hebreos 4:14, 15).

CAPÍTULO 6

Nuestro Futuro Hogar

VIVIR, vivir plenamente es la máxima aspiración natural de todo ser humano normal; y la promesa y provisión por excelencia de Cristo a sus seguidores es la vida abundante y eterna. ¿Cómo podemos obtenerla? ¿Por qué y cómo podemos estar seguros de disfrutarla? Este capítulo contesta en pocas palabras estas preguntas vitales.

LA VIDA ETERNA Y CÓMO OBTENERLA

¿Qué preciosa promesa les hizo Dios a sus hijos?

"Y ésta es la promesa que él nos hizo, *la vida eterna*" (1 S. Juan 2:25).

¿Cómo podemos obtener la vida eterna?

"Porque de tal manera amó Dios al mundo, que ha dado a su Hijo unigénito, *para que todo aquel que en él cree, no se pierda, mas tenga vida eterna*" (S. Juan 3:16).

¿Quién tiene vida eterna?

"El que *cree en el Hijo* tiene vida eterna" (vers. 36).

¿Dónde está la vida perdurable o eterna?

"Y este es el testimonio: que Dios nos ha dado vida eterna; *y esta vida está en su Hijo*" (1 S. Juan 5:11).

¿Qué sucede en consecuencia?

"*El que tiene al Hijo, tiene la vida*; el que no tiene al Hijo de Dios no tiene la vida" (vers. 12).

¿Qué les da Cristo a sus seguidores?

"Yo les *doy vida eterna*; y no perecerán jamás" (S. Juan 10:28).

EL ÁRBOL DE LA VIDA, PASADO Y FUTURO

¿Por qué, después de la caída en el pecado, se le negó al hombre el acceso al árbol de la vida?

"No sea que extienda la mano y tome también del árbol de la vida, *y coma y viva para siempre*" (Génesis 3:22, VM).

¿Qué ha prometido Cristo al vencedor?

"Al que venciere, *le daré a comer del árbol de la vida*, el cual está en medio del paraíso de Dios" (Apocalipsis 2:7).

CUÁNDO LOS SANTOS LLEGAN A SER INMORTALES

¿Cuándo se conferirá la inmortalidad a los santos?

"No todos dormiremos; pero todos seremos transformados, en un momento, en un abrir y cerrar de ojos, a la final trompeta; porque se tocará la trompeta, y los muertos serán resucitados incorruptibles, y nosotros seremos transformados. Porque es necesario que esto corruptible se vista de incorrupción, y esto mortal se vista de inmortalidad" (1 Corintios 15:51-53).

Nota.—Al aceptar a Cristo, el creyente recibe "la vida eterna, la cual estaba con el Padre", y retiene esa vida eterna tanto tiempo como Cristo more en su corazón por la fe. Este don maravilloso puede perderse si no se conserva la fe que se aferra firmemente de Cristo. Al resucitar se confiere la inmortalidad a los que durmieron en Cristo, y así la posesión de la vida eterna llega a ser una experiencia permanente.

EL PROPÓSITO DIVINO DE LA CREACIÓN

¿Con qué propósito fue creada la tierra?

"Porque así dijo Jehová, que creó los cielos; él es

Dios, el que formó la tierra, el que la hizo y la compuso; no la creó en vano, *para que fuese habitada la creó*" (Isaías 45:18).

¿A quién ha dado Dios la tierra?

"Los cielos son los cielos de Jehová; *y ha dado la tierra a los hijos de los hombres*" (Salmo 115:16).

¿Con qué propósito fue hecho el hombre?

"*Le hiciste señorear sobre las obras de tus manos*; todo lo pusiste debajo de sus pies" (Salmo 8:6).

SATANÁS, Y LA PÉRDIDA DEL DOMINIO POR EL HOMBRE

¿Cómo perdió el hombre su dominio?

Por el pecado (Romanos 5:12; 6:23).

Cuando perdió el hombre su dominio, ¿a quién se lo entregó?

"Porque el que es vencido por alguno es hecho esclavo del que lo venció" (2 S. Pedro 2:19).

Nota.—El hombre fue vencido por Satanás en el Jardín del Edén, y allí se entregó a sí mismo y sus posesiones en las manos de su aprehensor.

Al tentar a Cristo, ¿qué derecho de propiedad pretendía tener Satanás?

"Y le llevó el diablo a un alto monte, y le mostró en un momento todos los reinos de la tierra. Y le dijo el diablo: A ti te daré toda esta potestad, y la gloria de ellos; *porque a mí me ha sido entregada, y a quien quiero la doy*" (S. Lucas 4:5, 6).

LA RESTAURACIÓN DEL DOMINIO

¿Qué promesa de restauración hizo el Señor por medio de Miqueas?

"*Y tú, oh torre del rebaño*, fortaleza de la hija de Sion, *hasta ti vendrá el señorío primero*, el reino de la hija de Jerusalén" (Miqueas 4:8).

¿Por qué dijo Jesús que los mansos son bienaventurados?

"Bienaventurados los mansos, porque ellos recibirán la tierra por heredad" (S. Mateo 5:5).

Nota.—Esta herencia no puede recibirse en esta vida, porque aquí el que es manso de verdad tiene generalmente pocas de las cosas buenas de la tierra.

¿Quiénes dice el salmista que tienen ahora lo máximo?

"Porque tuve envidia de los *arrogantes*, viendo la prosperidad de los *impíos...* Los ojos se les saltan de gordura; *logran con creces los antojos del corazón*" (Salmo 73:3-7).

¿Qué promesa se le hizo a Abrahán concerniente a la tierra?

"Y Jehová dijo a Abram, después que Lot se apartó de él: Alza ahora tus ojos, y mira desde el lugar donde estás hacia el norte y el sur, y al oriente y al occidente. *Porque toda la tierra que ves, la daré a ti y a tu descendencia para siempre*" (Génesis 13:14, 15).

¿Cuánto abarcaba esta promesa?

"Porque no por la ley fue dada a Abraham o a su descendencia *la promesa de que sería heredero del mundo*, sino por la justicia de la fe" (Romanos 4:13).

¿Cuánto de la tierra de Canaán poseyó Abrahán durante su vida?

"*Y no le dio herencia en ella, ni aun para asentar un pie*; pero le prometió que se la daría en posesión, y a su descendencia después de él, cuando él aún no tenía hijo" (Hechos 7:5. Véase Hebreos 11:13).

¿Cuánto de la posesión prometida esperaba disfrutar Abrahán durante su vida?

"Por la fe Abraham, siendo llamado, obedeció para salir al lugar que había de recibir como herencia; y salió sin saber a dónde iba. Por la fe habitó como extranjero en la tierra prometida como en tierra ajena, morando en tiendas con Isaac y Jacob, coherederos de la misma promesa; porque esperaba la ciudad que tiene fundamentos, cuyo arquitecto y constructor es Dios" (Hebreos 11:8-10).

En un sentido especial, ¿quién es la simiente a la cual se le hizo esta promesa?

"Ahora bien, a Abraham fueron hechas las promesas, y a su simiente. No dice: Y a las simientes, como si hablase de muchos, sino como de uno: Y a tu simiente, la cual es Cristo" (Gálatas 3:16).

¿Quiénes son herederos de la promesa?

"Y si vosotros sois de Cristo, ciertamente linaje de Abraham sois, y herederos según la promesa" (vers. 29).

¿Por qué no recibieron lo prometido estos antiguos beneméritos?

"Y todos éstos, aunque alcanzaron buen testimonio mediante la fe, no recibieron lo prometido; proveyendo Dios alguna cosa mejor para nosotros, *para que no fuesen ellos perfeccionados aparte de nosotros*" (Hebreos 11:39, 40).

Ilustración: Lars Justinen

CUANDO ESTA TIERRA SEA RENOVADA

¿Qué va a suceder con nuestra tierra en el día del Señor?

"Pero el día del Señor vendrá como ladrón en la noche; en el cual ... *los elementos ardiendo serán deshechos, y la tierra y las obras que en ella hay serán quemadas*" (2 S. Pedro 3:10).

¿Qué seguirá a esta gran conflagración?

"Pero nosotros esperamos, según sus promesas, *cielos nuevos y tierra nueva*, en los cuales mora la justicia" (vers. 13).

Nota.—Como se expone en el estudio sobre "El milenio", pág. 68 los impíos que estén vivos cuando Cristo venga morirán, y los santos serán llevados al cielo para morar con Cristo mil años, hasta que los impíos de todos los siglos sean juzgados y llegue el tiempo de su destrucción y de la purificación de la tierra por el fuego del día final. Después de esto, la tierra será renovada, y el hombre, redimido del pecado, será restaurado a su dominio original.

¿A qué promesa del Antiguo Testamento se refirió evidentemente el apóstol Pedro?

"Porque he aquí que yo crearé nuevos cielos y nueva tierra; y de lo primero no habrá memoria, ni más vendrá al pensamiento" (Isaías 65:17).

¿Qué se le mostró en visión al apóstol Juan?

"*Vi un cielo nuevo y una tierra nueva*; porque el primer cielo y la primera tierra pasaron, y el mar ya no existía más" (Apocalipsis 21:1).

¿Cómo describió Isaías las condiciones que reinarán en la "tierra nueva"?

"Edificarán casas, y morarán en ellas; plantarán viñas, y comerán el fruto de ellas. No edificarán para que otro habite, ni plantarán para que otro coma, porque según los días de los árboles serán los días de mi pueblo, y mis escogidos disfrutarán la obra de sus manos. No trabajarán en vano, ni darán a luz para maldición; porque son linaje de los benditos de Jehová, y sus descendientes con ellos" (Isaías 65:21-23).

¿Cuán rápidamente serán suplidas sus necesidades?

"Y antes que clamen, responderé yo; mientras aún hablan, yo habré oído" (vers. 24).

¿Qué ambiente de paz reinará entonces en toda la tierra?

"El lobo y el cordero serán apacentados juntos, y el león comerá paja como el buey; y el polvo será el alimento de la serpiente. No afligirán, ni harán mal en todo mi santo monte, dijo Jehová" (vers. 25).

¿Qué ocasiones de adoración serán observadas en la tierra nueva?

"Porque así como los nuevos cielos y la nueva tierra que voy a hacer, permanecerán delante de mí, dice Jehová, así también permanecerá vuestro linaje y vuestro nombre. Y sucederá que *de novilunio en novilunio, y de sábado en sábado*, vendrá toda carne para adorar delante de mí dice Jehová" (Isaías 66:22, 23, VM).

¿Qué harán entonces los redimidos del Señor?

"*Y los redimidos de Jehová volverán, y vendrán a Sion con alegría; y gozo perfecto será sobre sus cabezas*; y tendrán *gozo* y alegría, y huirán la tristeza y el gemido" (Isaías 35:10).

¿Cuál fue una de las promesas de despedida de Cristo a sus discípulos?

"En la casa de mi Padre muchas moradas hay; si así no fuera, yo os lo hubiera dicho; voy, pues, a preparar lugar para vosotros" (S. Juan 14:2).

¿Qué dice el apóstol Pablo que Dios ha preparado para su pueblo?

"Ahora empero anhelan otra patria mejor, es decir, la celestial: por lo cual Dios no se avergüenza de ellos, para llamarse Dios suyo; porque les tiene preparada una ciudad" (Hebreos 11:16, VM).

¿Dónde está esta ciudad, y cómo se llama?

"Mas la *Jerusalén* de arriba, la cual es madre de todos nosotros, es libre" (Gálatas 4:26).

¿Qué esperaba Abrahán?

"Porque esperaba la ciudad que tiene fundamentos, cuyo arquitecto y constructor es Dios" (Hebreos 11:10).

SAN JUAN DESCRIBE LA CIUDAD

¿Qué vio San Juan concerniente a esta ciudad?

"Y yo Juan vi la santa ciudad, la nueva Jerusalén, descender del cielo, de Dios, dispuesta como una esposa ataviada para su marido" (Apocalipsis 21:2).

¿Cuántos cimientos tiene esta ciudad?

"Y el muro de la ciudad tenía doce cimientos, y sobre ellos los doce nombres de los doce apóstoles del Cordero" (vers. 14).

¿De qué están constituidas las doce puertas?

"Las doce puertas eran *doce perlas*; cada una de las puertas era una perla" (vers. 21).

¿Qué inscripción tienen esas puertas?

"*Nombres inscritos,* que son los de las doce tribus de los hijos de Israel" (vers. 12).

¿De qué dice San Juan que es la plaza de la ciudad?

"La plaza de la ciudad es de *oro puro,* transparente como el cristal" (vers. 21, BJ).

¿Por qué esta ciudad no tiene necesidad de sol ni de luna?

"La ciudad no tiene necesidad de sol ni de luna que brillen en ella; *porque la gloria de Dios la ilumina, y el Cordero es su lumbrera.* Y las naciones que hubieren sido salvas andarán a la luz de ella; y los reyes de la tierra traerán su gloria y honor a ella" (vers. 23, 24. Véase Apocalipsis 22:5; Isaías 60:19, 20).

¿Por qué sus puertas no se cerrarán?

"Y sus puertas no se cerrarán jamás de día *(pues no habrá allí noche)*" (vers. 25, VM).

QUIÉNES PODRÁN Y QUIÉNES NO PODRÁN ENTRAR

¿Quiénes serán excluidos de esta ciudad?

"No entrará en ella *ninguna cosa inmunda, o que hace abominación y mentira*" (vers. 27).

¿A quiénes se les permitirá entrar?

"Bienaventurados los que lavan *sus ropas,* para tener derecho al árbol de la vida, y para entrar por las puertas en la ciudad" (Apocalipsis 22:14).

Nota.—La versión Reina-Valera de 1909 dice: "Bienaventurados los que guardan sus *manda*mientos". El sentido práctico es el mismo, porque lavan sus ropas los que dejan de pecar, de transgredir los mandamientos de Dios.

Cuando esta ciudad llegue a ser la capital de la Tierra Nueva, ¿cuál será la condición del pueblo de Dios?

"Enjugará Dios toda lágrima de los ojos de ellos; y ya no habrá muerte, ni habrá más llanto, ni clamor, ni dolor; porque las primeras cosas pasaron" (Apocalipsis 21:4).

VIDA ETERNA Y GLORIOSO PRIVILEGIO

¿Qué correrá a través de la ciudad?

"Después me mostró un *río limpio de agua de vida,* resplandeciente como cristal, que salía del trono de Dios y del Cordero" (Apocalipsis 22:1).

¿Qué bordea el río de ambos lados?

"En medio de la calle de la ciudad, y a uno y otro lado del río, *estaba el árbol de la vida,* que produce doce frutos, dando cada mes su fruto; y las hojas del árbol eran para la sanidad de las naciones" (vers. 2).

Nota.—El árbol de la vida, que Adán perdió por la transgresión, va a ser restaurado por Cristo. El acceso a este árbol es una de las promesas que se hace al que venciere (Apocalipsis 2:7). Su producción de doce clases de fruto, una clase nueva cada mes, sugiere una razón por la cual en la Tierra Nueva, "de novilunio en novilunio, y de sábado en sábado", va toda carne a adorar delante de Dios, como se declara en Isaías 66:22, 23, VM.

C A P Í T U L O   7

Salvación

PECADO Y ARREPENTIMIENTO

¿Quiénes son llamados al arrepentimiento?

"No he venido a llamar a justos, sino *a pecadores* al arrepentimiento" (S. Lucas 5:32).

¿Qué acompaña al arrepentimiento?

"Y que se predicase en su nombre el arrepentimiento y *el perdón de pecados* en todas las naciones" (S. Lucas 24:47).

¿Cómo puede conocerse el pecado?

"Porque por medio de la ley es el conocimiento del pecado" (Romanos 3:20).

¿Cuántos son pecadores?

"Ya hemos acusado a *judíos y a gentiles*, que *todos están bajo pecado*" (vers. 9).

¿Qué se acarrean los transgresores?

"Nadie os engañe con palabras vanas, porque por estas *cosas viene la ira de Dios* sobre los hijos de desobediencia" (Efesios 5:6).

LA CONCIENCIA DEL PECADO Y EL GOZO DE LA SALVACIÓN

¿Quién despierta en el alma el sentido de su pecaminosidad?

"Y cuando él [el Consolador] venga, *convencerá al mundo de pecado*" (S. Juan 16:8).

¿Qué es propio que se pregunten los que son convencidos de pecado?

"Varones hermanos, *¿qué haremos?*" "Señores, *¿qué debo hacer para ser salvo?*" (Hechos 2:37; 16:30).

¿Qué respuestas da la Palabra inspirada a estas preguntas?

"*Arrepentíos, y bautícese cada uno de vosotros en el nombre de Jesucristo* para perdón de los pecados". "*Cree en el Señor Jesucristo*, y serás salvo" (Hechos 2:38; 16:31).

FRUTOS DEL VERDADERO ARREPENTIMIENTO

¿Qué será constreñido a hacer el pecador verdaderamente arrepentido?

"Por tanto, *confesaré mi maldad, y me contristaré por mi pecado*" (Salmo 38:18).

¿Cuál es el resultado de la tristeza piadosa?

"Porque la tristeza que es según Dios produce *arrepentimiento para salvación*" (2 Corintios 7:10).

¿Qué hace la tristeza del mundo?

"Pero la tristeza del mundo *produce muerte*" (el mismo versículo).

¿Cómo se manifiesta la tristeza según Dios por el pecado?

"Porque he aquí, esto mismo de que hayáis sido contristados según Dios, ¡*qué solicitud produjo en vosotros*, qué defensa, qué indignación, qué temor, qué ardiente afecto, qué celo, y qué vindicación! En todo os habéis mostrado limpios en el asunto" (vers. 11).

¿Qué dijo Juan el Bautista a los fariseos y saduceos cuando fueron donde él bautizaba?

"¡Generación de víboras! ¿Quién os enseñó a huir de la ira venidera?" (S. Mateo 3:7).

¿Qué les dijo que hicieran?

"Haced, pues, frutos dignos de arrepentimiento" (vers. 8).

Nota.—No puede haber verdadero arrepentimiento sin reforma. El arrepentimiento es un cambio de concepto, la reforma es un correspondiente cambio de vida.

Cuando Dios envió a los ninivitas un mensaje de amonestación, ¿cómo mostraron ellos su arrepentimiento, y cuál fue el resultado?

"Y vio Dios lo que hicieron, *que se convirtieron*

de su mal camino; y se arrepintió del mal que había dicho que les haría, y no lo hizo" (Jonás 3:10).

¿Qué guía a los pecadores al arrepentimiento?

"¿O menosprecias las riquezas de su benignidad, paciencia y longanimidad, ignorando que *su benignidad te guía al arrepentimiento*?" (Romanos 2:4).

LA CONFESIÓN Y EL PERDÓN

¿Qué instrucción se da concerniente a la confesión de los pecados?

"Di a los hijos de Israel: El hombre o la mujer que cometiere alguno de todos los pecados con que los hombres prevarican contra Jehová y delinquen, *aquella persona confesará el pecado que cometió*" (Números 5:6, 7).

¿Cuán fútil es tratar de ocultarle a Dios el pecado?

"Mas si así no lo hacéis he aquí habréis pecado ante Jehová; y *sabed que vuestro pecado os alcanzará*" (Números 32:23). "Pusiste nuestras maldades delante de ti, nuestros yerros a la luz de tu rostro" (Salmo 90:8). "Todas las cosas están desnudas y abiertas a los ojos de aquel a quien tenemos que dar cuenta" (Hebreos 4:13).

¿Qué promesa se hace a los que confiesan sus pecados?

"Si confesamos nuestros pecados, *él es fiel y justo para perdonar nuestros pecados*, y limpiarnos de toda maldad" (1 S. Juan 1:9).

¿Qué resultados diferentes siguen al encubrimiento y a la confesión de los pecados?

"El que encubre sus pecados *no prosperará*; mas el que los confiesa y se aparta *alcanzará misericordia*" (Proverbios 28:13).

UNA CONFESIÓN DEFINIDA

¿Cuán definidos deberíamos ser en la confesión de nuestros pecados?

"Cuando pecare en alguna de estas cosas, *confesará aquello en que pecó*" (Levítico 5:5).

Nota.—"La verdadera confesión es siempre de un carácter específico y declara pecados particulares. Pueden ser de tal naturaleza que solamente puedan presentarse delante de Dios. Pueden ser males que deban confesarse individualmente a los que hayan sufrido daño por ellos. Pueden ser de un carácter

público, y en ese caso deberán confesarse públicamente. Toda confesión debe hacerse definida y al punto, reconociendo los mismos pecados de que seáis culpables" (*El camino a Cristo,* pp. 40, 41).

¿Cuán plenamente reconoció una vez Israel su mal proceder?

"Entonces dijo todo el pueblo a Samuel: Ruega por tus siervos a Jehová tu Dios, para que no muramos; *porque a todos nuestros pecados hemos añadido este mal de pedir rey* para nosotros" (1 Samuel 12:19).

Cuando David confesó su pecado, ¿qué dijo él que hizo Dios?

"Mi pecado te declaré, y no encubrí mi iniquidad. Dije: Confesaré mis transgresiones a Jehová, y *tú perdonaste la maldad de mi pecado*" (Salmo 32:5).

DIOS SE DELEITA EN PERDONAR

¿Qué está dispuesto a hacer Dios por todos los que le piden perdón?

"Porque tú, Señor, eres *bueno y perdonador*, grande en misericordia para con todos los que te invocan" (Salmo 86:5).

¿En qué basaba David su esperanza de obtener perdón?

"Ten piedad de mí, oh Dios, conforme a tu misericordia; *conforme a la multitud de tus piedades* borra mis rebeliones" (Salmo 51:1).

¿Con qué se compara la grandeza de la misericordia de Dios?

"Porque como *la altura de los cielos sobre la tierra*, engrandeció su misericordia sobre los que le temen" (Salmo 103:11).

¿Cuán plenamente perdona Dios al que se arrepiente?

"Deje el impío su camino, y el hombre inicuo sus pensamientos, y vuélvase a Jehová, el cual tendrá de él misericordia, y al Dios nuestro, *el cual será amplio en perdonar*" (Isaías 55:7).

¿Por qué razón está Dios dispuesto a perdonar los pecados?

"¿Quién es un Dios semejante a ti, que perdona la iniquidad, y pasa por alto la transgresión del resto de su herencia? no retiene para siempre su ira, *porque se deleita en la misericordia*" (Miqueas 7:18, VM. Véase Salmo 78:38).

¿Por qué manifiesta Dios tanta misericordia y longanimidad para con los hombres?

"El Señor no retarda su promesa, según algunos la tienen por tardanza, sino que es paciente para con nosotros, no queriendo que ninguno perezca, sino que todos procedan al arrepentimiento" (2 S. Pedro 3:9).

EJEMPLOS ESPECÍFICOS

Cuando el hijo pródigo, de la parábola, se arrepintió y volvió al hogar, ¿qué hizo su padre?

"Y cuando aún estaba lejos, lo vio su padre, y *fue movido a misericordia*, y corrió, y se echó sobre su cuello, y le besó" (S. Lucas 15:20).

¿Cómo manifestó el padre su gozo por el regreso de su hijo?

"Pero el padre dijo a sus siervos: *Sacad el mejor vestido, y vestidle*; y poned un anillo en su mano, y calzado en sus pies. Y *traed el becerro gordo y matadlo*, y comamos y hagamos fiesta; porque este mi hijo muerto era, y ha revivido; se había perdido, y es hallado" (vers. 22-24).

¿Qué se siente en el cielo cuando un pecador se arrepiente?

"Así os digo que *hay gozo delante de los ángeles de Dios* por un pecador que se arrepiente" (vers. 10).

¿Qué dijo Ezequías que Dios había hecho con sus pecados?

"He aquí, amargura grande me sobrevino en la paz, mas a ti agradó librar mi vida del hoyo de corrupción; porque *echaste tras tus espaldas todos mis pecados*" (Isaías 38:17).

¿Cuán completamente quiere Dios librarnos de nuestros pecados?

"Echará en lo profundo del mar todos nuestros pecados" (Miqueas 7:19).

"Cuanto está lejos el oriente del occidente, hizo alejar de nosotros nuestras rebeliones" (Salmo 103:12).

¿Cómo respondió el pueblo a la predicación de Juan?

"Y salía a él Jerusalén, y toda Judea, y toda la provincia de alrededor del Jordán, y eran bautizados por él en el Jordán, *confesando* sus pecados" (S. Mateo 3:5, 6).

¿Cómo daban testimonio muchos de los creyentes de Éfeso de la sinceridad de la confesión de sus pecados?

"Y muchos de los que habían creído venían, *confesando y dando cuenta de sus hechos*. Asimismo muchos de los que habían practicado la magia *trajeron los libros y los quemaron delante de todos*; y hecha la cuenta de su precio, hallaron que era cincuenta mil piezas de plata" (Hechos 9:18, 19).

CONDICIONES DEL PERDÓN

¿Bajo qué condición nos ha enseñado Cristo a pedir perdón?

"Y perdónanos nuestras deudas, *como también nosotros perdonamos a nuestros deudores*" (S. Mateo 6:12).

¿Qué espíritu deben acariciar aquellos a quienes Dios perdona?

"Porque *si perdonáis a los hombres sus ofensas*, os perdonará también a vosotros vuestro Padre celestial; mas si no perdonáis a los hombres sus ofensas, tampoco vuestro Padre os perdonará vuestras ofensas" (vers. 14, 15).

Por cuanto Dios nos ha perdonado, ¿qué se nos exhorta a nosotros a hacer?

"Antes sed benignos unos con otros, misericordiosos, perdonándoos unos a otros, como Dios también os perdonó a vosotros en Cristo" (Efesios 4:32).

LA FUENTE DEL PERDÓN

¿Por medio de quién se concede el arrepentimiento y el perdón?

"El Dios de nuestros padres *levantó a Jesús*, a quien vosotros matasteis colgándole en un madero. A éste, Dios ha exaltado con su diestra por Príncipe y Salvador, *para dar a Israel arrepentimiento y perdón de pecados*" (Hechos 5:30, 31).

¿Qué se dice de aquél cuyos pecados son perdonados?

"Bienaventurado aquel cuya transgresión ha sido perdonada, y cubierto su pecado. Bienaventurado el hombre a quien Jehová no culpa de iniquidad, y en cuyo espíritu no hay engaño" (Salmo 32:1, 2).

CAPÍTULO 8

Viviendo para Cristo

"LA EDUCACIÓN, la cultura, el ejercicio de la voluntad, el esfuerzo humano,... pueden producir una corrección externa de la conducta, pero no pueden cambiar el corazón; no pueden purificar las fuentes de la vida. Debe haber un poder que obre en el interior, una vida nueva de lo alto antes de que el hombre pueda convertirse del pecado a la santidad. Ese poder es Cristo", dice E. G. de White en su libro *El camino a Cristo*.

LA NECESIDAD DE LA CONVERSIÓN

¿Cómo destacó Jesús la necesidad de la conversión?

"Y dijo [Jesús]: De cierto os digo, que si no os volvéis y os hacéis como niños, *no entraréis en el reino de los cielos*" (S. Mateo 18:3).

¿En qué otra declaración enseñó Cristo la misma verdad?

"Respondió Jesús y le dijo: de cierto, de cierto te digo, *que el que no naciere de nuevo, no puede ver el reino de Dios*" (S. Juan 3:3).

¿Cómo explicó adicionalmente el nuevo nacimiento?

"Respondió Jesús: de cierto, de cierto te digo, que *el que no naciere de agua y del Espíritu*, no puede entrar en el reino de Dios" (vers. 5).

¿Mediante qué comparación ilustró este asunto?

"El *viento sopla* de donde quiere, y oyes su sonido; mas ni sabes de dónde viene, ni a dónde va, *así es todo aquel que es nacido del Espíritu*" (vers. 8).

EL AGENTE DE LA NUEVA CREACIÓN

¿Qué sucede cuando uno se convierte a Cristo?

"Por tanto, el que está en Cristo, *es una nueva creación*; pasó lo viejo, todo es nuevo" (2 Corintios 5:17, BJ. Véase Hechos 9:1-22; 22:1-21; 26:1-23).

¿Cuánto valen las formas meramente exteriores?

"Porque en Cristo Jesús *ni la circuncisión vale nada, ni la incircuncisión*, sino una nueva creación" (Gálatas 6:15).

¿Por qué medio fue realizada la creación original?

"*Por la palabra de Jehová* fueron hechos los cielos, y todo el ejército de ellos por el aliento de su boca" (Salmo 33:6).

¿Mediante qué instrumento se efectúa la conversión?

"Siendo renacidos, no de simiente corruptible, sino de incorruptible, *por la palabra de Dios* que vive y permanece para siempre" (1 S. Pedro 1:23).

RESULTADOS DE LA VERDADERA CONVERSIÓN

¿Qué cambio se produce por la conversión, o nuevo nacimiento?

"Aun estando nosotros muertos en pecados, *nos dio vida* juntamente con Cristo (por gracia sois salvos)" (Efesios 2:5).

¿Cuál es una evidencia de este cambio de la muerte a la vida?

"Nosotros sabemos que hemos pasado de muerte a vida, *en que amamos a los hermanos*. El que no ama a su hermano, permanece en muerte" (1 S. Juan 3:14).

¿De qué es salvado el pecador que se convierte?

"Sepa que el que convierte a un pecador de su camino desviado, salvará su alma *de la muerte* y cubrirá multitud de pecados" (Santiago 5:20, BJ. Véase Hechos 26:14-18).

¿A quién son llevados los pecadores por la conversión?

"Crea en mí, oh Dios, un corazón limpio, y renueva un espíritu recto dentro de mí. No me eches de delante de ti... Entonces enseñaré a los transgresores tus caminos, y los pecadores *se convertirán a ti*" (Salmo 51:10, 11, 13).

¿En qué palabras dirigidas a Pedro indicó Jesús la clase de servicio que una persona convertida debería prestar a sus hermanos?

"Simón, Simón, mira que Satanás ha pedido para zarandearos como el trigo, pero yo he rogado por ti para que no desfallezca tu fe. *Y tú, una vez convertido, confirma a tus hermanos*" (S. Lucas 22:31, 32, EP).

¿Qué otra experiencia se relaciona con la conversión?

"Porque el corazón de este pueblo se ha engrosado, y con los oídos oyen pesadamente, y han cerrado sus ojos; para que no vean con los ojos, y oigan con los oídos, y con el corazón entiendan, *y se conviertan, y yo los sane*" (S. Mateo 13:15).

¿Qué bendiciones promete darle Dios a su pueblo?

"*Yo sanaré su rebelión*, los amaré de pura gracia; porque mi ira se apartó de ellos" (Oseas 14:4).

¿Por qué medio se realiza este sanamiento?

"Mas él [Cristo] herido fue por nuestras rebeliones, molido por nuestros pecados; el castigo de nuestra paz fue sobre él, *y por su llaga fuimos nosotros curados*" (Isaías 53:5).

¿Cuáles son algunas de las evidencias de que uno ha nacido de Dios?

"Si sabéis que él es justo, sabed también *que todo el que hace justicia es nacido de él*". "Amados, amémonos unos a otros; porque el amor es de Dios. *Todo aquel que ama, es nacido de Dios*, y conoce a Dios" (1 S. Juan 2:29; 4:7).

¿Qué poder que mora en él le guarda del pecado?

"Todo aquel que es nacido de Dios, no practica el pecado, porque la simiente de Dios permanece en él; y no puede pecar, porque es nacido de Dios" (1 S. Juan 3:9; véase 1 S. Juan 5:4; Génesis 39:9)

¿Qué experiencia disfrutan los que nacen del Espíritu?

"Ahora, pues, *ninguna condenación* hay para los que están en Cristo Jesús, los que no andan conforme a la carne, sino conforme al Espíritu" (Romanos 8:1).

CREYENDO EN JESÚS Y CONTEMPLÁNDOLO

¿Qué se declara acerca de todo aquel que cree en Jesús?

"Todo aquel que cree que Jesús es el Cristo, *es nacido de Dios*" (1 S. Juan 5:1).

¿Qué cambio se produce por la contemplación de Jesús?

"Por tanto, nosotros todos, mirando a cara descubierta como en un espejo la gloria del Señor, *somos transformados* de gloria en gloria en la misma imagen, como por el Espíritu del Señor" (2 Corintios 3:18).

Nota.—Nosotros éramos esclavos del pecado, Jesús descendió y sufrió con nosotros, y nos liberó. Al contemplarlo en su Palabra, y mediante la oración y la meditación, y al servirle en la persona de otros, podemos ser transformados más y más conforme a la gloria de su semejanza; entonces, si somos fieles, algún día lo veremos cara a cara.

CAPÍTULO 9

El Fin del Mundo

CRISTO es el príncipe de los profetas, y de sus profecías, la que comentamos en este capítulo es la de mayor significación y trascendencia para los hombres y mujeres del siglo XX. Se la registra en San Mateo, capítulos 24 y 25, en San Marcos, capítulo 13 y en San Lucas 21. Ella predice las señales de su segunda venida y del fin del mundo, y describe nuestros días con pasmosa claridad. Es de vital importancia para nosotros conocerla.

LA DESTRUCCIÓN DE JERUSALÉN Y SU SIGNIFICADO

¿Qué sentía Cristo concerniente a Jerusalén?

"Y cuando llegó cerca de la ciudad, al verla, *lloró sobre ella*, diciendo: ¡Oh, si también tú conocieses, a lo menos en este tu día, lo que es para tu paz! Mas ahora está encubierto de tus ojos" (S. Lucas 19:41, 42).

¿Con qué palabras predijo él su destrucción?

"Porque vendrán días sobre ti, cuando tus enemigos te rodearán con vallado, y te sitiarán, y por todas partes te estrecharán, y te derribarán a tierra, y a tus hijos dentro de ti, y no dejarán en ti piedra sobre piedra, por cuanto no conociste el tiempo de tu visitación" (vers. 43, 44).

¿Qué misericordioso llamamiento le hizo a la ciudad impenitente?

" ¡Jerusalén, Jerusalén, que matas a los profetas, y apedreas a los que te son enviados! ¡Cuántas veces quise juntar a tus hijos, como la gallina junta sus polluelos debajo de las alas, y no quisiste!" (S. Mateo 23:37).

Cuando estaba por alejarse del templo, ¿qué dijo él?

"He aquí vuestra casa os es dejada *desierta*" (vers. 38).

Nota.—Los judíos llenaron la copa de su iniquidad al rechazar y crucificar finalmente a Cristo, y al perseguir a sus discípulos después de que él resucitó (véase S. Mateo 23:29-35; S. Juan 19:15; Hechos 4-8).

Al oír estas palabras, ¿qué preguntas hicieron los discípulos?

"Dinos, ¿cuándo serán estas cosas, y qué señal habrá de tu venida, y del fin del siglo?" (S. Mateo 24:3).

Nota.—La ruina de Jerusalén y de la nación judía es un símbolo de la destrucción final de todas las ciudades del mundo, y de todas las naciones. Las descripciones de los dos acontecimientos parecen mezclarse. Las palabras proféticas de Cristo se extendían más allá de la destrucción de Jerusalén hasta la conflagración final; fueron dichas no sólo para los primeros discípulos, sino también para los que habrían de vivir durante las escenas finales de la historia del mundo. Cristo dio señales definidas, tanto de la destrucci6n de Jerusalén como de su segunda venida.

¿Indicó Cristo que cualquiera de esos eventos era inminente?

"Respondiendo Jesús, les dijo: *Mirad que nadie os engañe*. Porque vendrán muchos en mi nombre, diciendo: Yo soy el Cristo; y a muchos engañarán. Y oiréis de guerras y rumores de guerras; mirad que no os turbéis, porque es necesario que todo esto acontezca; pero aún no es el fin" (vers. 4-6).

¿Qué dijo Cristo acerca de las guerras, hambres, pestilencias y terremotos que precederían a esos acontecimientos?

"Y todo esto será *principio de dolores*" (vers. 8).

Nota.—Estas cosas habrían de preceder y

culminar en la ruina, primeramente de Jerusalén, y finalmente del mundo entero porque, como se notó ya, la profecía tiene una doble aplicación, a Jerusalén y a la nación judía, y en segundo lugar, al mundo entero. La destrucción de Jerusalén por haber rechazado a Cristo en su primera venida era una figura de la destrucción del mundo al fin por su rechazamiento de Cristo al negarse a prestar atención al mensaje final de amonestación enviado por Dios para preparar al mundo para el segundo advenimiento de Cristo.

¿Quiénes dijo él que serían salvos?

"Mas *el que persevere hasta el fin*, éste será salvo" (vers. 13).

¿Cuándo dijo Jesús que vendría el fin?

"*Y será predicado este evangelio del reino en todo el mundo, para testimonio a todas las naciones; y entonces vendrá el fin*" (vers. 14).

Nota.—Antes de la caída de Jerusalén, San Pablo llevó el Evangelio a Roma, entonces la capital del mundo. Él escribió acerca de los santos "de la casa de César" (Filipenses 4:22), y además dijo que el Evangelio había "sido predicado a toda criatura debajo del cielo" (Colosenses 1:23, VM).

Así fue en relación con el fin de la nación judía, y así será con el fin del mundo como un todo. Cuando el Evangelio, o las buenas nuevas, del reino venidero de Cristo haya sido predicado en todo el mundo para testimonio a todas las naciones, entonces vendrá el fin. Como el fin de la nación judía vino con abrumadora destrucción, así vendrá el fin del mundo.

¿Cuál sería una señal de la caída de Jerusalén?

"*Cuando viereis a Jerusalén rodeada de ejércitos, sabed entonces que su destrucción ha llegado*" (S. Lucas 21:20).

¿Qué debían hacer los discípulos cuando apareciera la señal?

"Por tanto, cuando veáis en el lugar santo la abominación desoladora de que habló el profeta Daniel (el que lee, entienda), entonces los que estén en Judea, *huyan a los montes* " (S. Mateo 24:15, 16).

Nota.—En el año 66 d.C., cuando Cestio vino contra la ciudad pero realizó una inexplicable retirada, los cristianos discernieron en esto la señal predicha por Cristo, y huyeron (Eusebio, *Historia Eclesiástica*, lib. III, cap. 5), mientras que, según se dice, 1.100.000 judíos fueron muertos en el terrible asedio en el año 70 d.C. Esta es una llamativa lección acerca de la importancia de estudiar las profecías y prestar atención a las señales de los tiempos. Los

que creyeron a Cristo y esperaban la señal que él había predicho, se salvaron, mientras que los incrédulos perecieron. Así al fin del mundo los que vigilen y crean, serán librados, mientras que los descuidados e incrédulos serán entrampados y prendidos (véase S. Mateo 24:36-44; S. Lucas 21:34-36; 1 Tesalonicenses 5:1-6).

Cuando la señal apareciera, ¿cuán repentinamente debían ellos huir?

"El que esté en la azotea, no descienda para tomar algo de su casa; y el que esté en el campo, no vuelva atrás para tomar su capa" (vers. 17, 18).

¿Cómo manifestó Cristo además su cuidado por sus discípulos?

"Orad, pues, que no sea vuestra huida en invierno, ni en día de *sábado*" (vers. 20, VM).

Nota.—El huir en invierno podría ocasionar incomodidad y privaciones; un intento de huir en sábado, el día de reposo bíblico observado por los judíos, indudablemente tropezaría con dificultades. Las oraciones de los seguidores de Cristo fueron oídas. Los eventos fueron regidos de tal manera que ni los judíos ni los romanos impidieran su huida. Cuando Cestio se retiró, los judíos persiguieron su ejército, y los cristianos tuvieron así una oportunidad para abandonar la ciudad. El país estaba libre de enemigos, porque en ocasión del sitio los judíos se habían reunido en Jerusalén para celebrar la fiesta de los tabernáculos. Así los cristianos de Judea pudieron escapar sin ser molestados, y en el otoño, que era el tiempo más favorable para huir.

¿Qué experiencia angustiosa predijo entonces Cristo?

"*Porque habrá entonces gran tribulación*, cual no la ha habido desde el principio del mundo hasta ahora, ni la habrá" (vers. 21).

Nota.—En el sitio de Jerusalén se cumplió literalmente una profecía de Moisés: "Y comerás el fruto de tu vientre, la carne de tus hijos y de tus hijas ... en el sitio y en el apuro con que te angustiará tu enemigo" (Deuteronomio 28:53. Respecto al cumplimiento de esa profecía, véase lo escrito por Josefo en su *Guerras judías*, lib. VI, págs. 143-231).

Después de la destrucción de Jerusalén sobrevino la persecución de los cristianos bajo los emperadores paganos durante los primeros tres siglos de la era cristiana. Más tarde se desencadenó la persecución mayor y más terrible, durante los largos siglos de supremacía papal, predicha en Daniel 7:25 y Apocalipsis 12:6. Estas tres tribulaciones ocurrieron bajo la Roma pagana o la papal.

¿Por causa de quiénes sería acortado ese período?

"Y si aquellos días no fuesen acortados, nadie sería salvo; *mas por causa de los escogidos, aquellos días serán acortados*" (vers. 22).

Nota.—Gracias a la influencia de la Reforma, y de los movimientos que surgieron de ella, se debilitó gradualmente el poder del papado de poner en vigor decretos contra aquellos que consideraba herejes, hasta que la persecución general cedió casi completamente a mediados del siglo XVIII, antes del fin de los 1.260 años.

¿Contra qué engaños nos puso en guardia Cristo entonces?

"Entonces, si alguno os dijere: Mirad, aquí está el Cristo, o mirad, allí está, no lo creáis. Porque se levantarán falsos Cristos, y falsos profetas, y harán grandes señales y prodigios, de tal manera que engañarán, si fuere posible, aun a los escogidos" (vers. 23, 24).

SEÑALES EN EL SOL, LA LUNA Y LAS ESTRELLAS

¿Qué señales del fin habrían de verse en los cielos?

"Entonces habrá señales en el *sol, en la luna y en las estrellas*" (S. Lucas 21:25).

¿Cuándo habría de aparecer la primera de estas señales?

"*E inmediatamente después de la tribulación de aquellos días, el sol se oscurecerá, y la luna no dará su resplandor, y las estrellas caerán del cielo*" (S. Mateo 24:29).

"*Pero en aquellos días, después de aquella tribulación*, el sol se oscurecerá, y la luna no dará su resplandor, y las estrellas caerán del cielo, y las potencias que están en los cielos serán conmovidas" (S. Marcos 13:24, 25. Compárese con Joel 2:30, 31; 3:15; Isaías 13:10; Amós 8:9).

Nota.—Dentro de los 1.260 años, pero después de la persecución (más o menos a mediados del siglo XVIII), comenzaron a aparecer las señales de la venida de Cristo.

1. *Una asombrosa oscuridad del sol y de la luna* Samuel Williams, de la Universidad de Harvard, describe el notable día oscuro del 19 de mayo de 1780. El profesor relata que la oscuridad se aproximó con las nubes desde el sudoeste "entre las diez y las once de la mañana y continuó hasta la medianoche siguiente, variando de grado y duración en diferentes localidades. En algunos lugares "las personas no podían ver para leer la letra común de imprenta al aire libre, durante varias horas", aunque "no era este generalmente el caso". "Se encendieron velas en las casas; las aves cantaron sus cantos nocturnos, desaparecieron, y guardaron silencio; las aves domésticas fueron a dormir en sus sitios habituales; los gallos cantaban como al amanecer; los objetos no podían distinguirse sino a muy corta distancia; y todas las cosas tenían la apariencia y lobreguez de la noche" (véase *Memoirs of the American Academy of Arts and Sciences* [Memorias de la Academia Americana de Artes y Ciencias], de 1783, tomo 1, pp. 234, 235).

Siendo que la luna, llena la noche anterior, estaba del lado opuesto de la tierra, no se trataba de un eclipse de sol, ni podía un eclipse durar tanto, las causas que se le atribuyeron parecen inadecuadas para explicar el área cubierta.

"La oscuridad de la noche siguiente era probablemente la más dense que jamás se haya observado desde que la orden del Todopoderoso dio origen a la luz. Sólo faltaba que pudiera palparse para que fuese tan extraordinaria como las tinieblas que cubrieron la tierra de Egipto en los días de Moisés... Si todos los cuerpos luminosos del universo hubieran sido envueltos en sombras impenetrables, o hubiesen desaparecido, la oscuridad no habría podido ser más completa. Una hoja de papal blanco mantenida a pocas pulgadas de los ojos era tan invisible como el más negro terciopelo" (Carta de Samuel Tenney, 1785, en *Collections of the Massachusetts Historical Society* [Colecciones de la Sociedad de Historia de Massachussets], parte 1, t. 1, ed. 1792, pp. 97, 98).

Timoteo Dwight, rector de la Universidad de Yale, recordaba que "prevaleció una opinión, muy generalizada, de que el día del juicio había llegado, la Cámara de Representantes [de Connecticut], por no poder seguir deliberando levantó la sesión", pero el Concejo encendió velas, profiriendo, como dijo uno de sus miembros, que, si el juicio se acercaba, los hallase trabajando (véase Juan W. Barber, *Connecticut Historical Collections*, 2da. ed., 1836, p. 403)

Los escritores corrientes no estaban de acuerdo respecto a la causa de estas tinieblas sin paralelo, pero había un pleno acuerdo sobre su naturaleza extraordinaria. Cualquier causa o causas naturales a las cuales pudieran atribuirse las tinieblas, no pueden en modo alguno militar contra el significado del fenómeno. Dieciséis siglos y medio antes de que ocurriera, el Salvador había predicho definidamente esta doble señal, diciendo: "En aquellos días, después de aquella tribulación, el sol se oscurecerá, y la luna no dará su resplandor" (S. Marcos 13:24).

Estas señales ocurrieron exactamente como fueron predichas, y en el tiempo indicado con tanta anticipación. Es este hecho, y no la causa de las tinieblas, lo significativo en este caso. Cuando el Señor iba a abrirle un camino a su pueblo a través del mar, lo hizo "por recio viento oriental" (Éxodo 14:21). ¿Fue por esta razón menos milagroso? Cuando fueron endulzadas las aguas amargas (Éxodo 15:23-25), ¿fue menos real la intervención divina porque se usaron ciertos medios naturales, que tuvieron alguna parte, bajo la dirección divina, para tornar potable el agua? De la misma manera, aun cuando la ciencia pudiera explicar la notable oscuridad del 1° de mayo de 1780, en lugar de hilvanar meras especulaciones al respecto debiera este acontecimiento ser considerado como una misericordiosa señal de la proximidad del fin del tiempo de gracia.

2. *Notable despliegue de estrellas fugaces* "La mañana del 13 de noviembre de 1833 —dice un testigo ocular, un astrónomo de Yale— fue memorable por la exhibición de un fenómeno de estrellas fugaces, probablemente más extenso e imponente que cualquier otro semejante que hasta ahora se haya registrado... Probablemente ningún fenómeno celeste ha ocurrido jamás en este país, desde su primera colonización, que haya sido visto con tanta admiración y deleite por una clase de espectadores, o con tanto asombro y temor por otra clase" (Denison Olmsted en *The American Journal of Science and Arts*, tomo 25, año 1834, pp. 363, 364).

"Desde el golfo de México hasta Halifax, hasta que la luz del día puso fin con alguna dificultad a la exhibición, el cielo se ve cruzado en todas direcciones por resplandecientes estelas e iluminado por majestuosas bolas de fuego. En Boston se calculó que la frecuencia de los meteoros equivalía a la mitad de los copos de nieve de una nevada de mediana intensidad... Al seguirlas en sentido retrógrado, se descubría que sus trayectorias convergían invariablemente en un punto de la constelación de León" (Agnes M. Clerke, *A Popular History of Astronomy* [Una historia popular de astronomía], ed. 1885, pp. 269, 370).

Federico Douglas, rememorando sus tempranos días de esclavitud, dice: "Yo fui testigo de este magnífico espectáculo, y estaba espantado. El aire parecía lleno de brillantes mensajeros que descendían del cielo... Yo no podía librarme de la impresión, por momentos, de que eso pudiera ser el presagio de *la venida del Hijo del hombre*; y en mi estado de ánimo de entonces estaba preparado para aclamarlo como mi amigo y libertador. Yo había leído que 'las estrellas caerán del cielo', y ahora estaban cayendo" (*Life and Times of Frederick Douglas* [Vida y tiempos de Federico Douglas], ed. 1941, p. 117).

LA CONDICIÓN DEL MUNDO, Y LA PREPARACIÓN

¿Qué señales de la venida de Cristo habría en la tierra?

"*En la tierra angustia de las gentes, confundidas a causa del bramido del mar y de las olas; desfalleciendo los hombres por el temor y la expectación* de las cosas que sobrevendrán en la tierra" (S. Lucas 21:25, 26).

¿Cuál sería el próximo gran acontecimiento después de estas señales?

"Entonces verán al Hijo del Hombre, que vendrá en una nube con poder y gran gloria" (vers. 27. Véase S. Mateo 24:30).

Cuando estas cosas comenzaran a suceder, ¿qué debía hacerse?

"Cuando estas cosas comiencen a suceder, *erguíos y levantad vuestra cabeza*, porque vuestra redención está cerca" (S. Lucas 21:28).

¿Qué sabemos cuando brotan las hojas de los árboles?

"De la higuera aprended la parábola: Cuando ya su rama está tierna, y brotan las hojas, *sabéis que el verano está cerca*" (S. Mateo 24:32).

¿Qué debemos también saber después que se vean estas señales?

"Así también vosotros, cuando veáis todas estas cosas, *conoced que está cerca, a las puertas*" (vers. 33). "Así también vosotros, cuando veáis que suceden estas cosas, *sabed que esta cerca el reino de Dios*" (S. Lucas 21:31).

¿Qué dijo Cristo en cuanto a la certidumbre de esta profecía?

"De cierto os digo, que no pasará esta generación hasta que todo esto acontezca. El cielo y la tierra pasarán, pero mis palabras no pasarán" (S. Mateo 24:34, 35).

Nota.—Lo que Cristo predijo acerca de la destrucción de Jerusalén se cumplió al pie de la letra. De la misma manera podemos estar seguros de que lo que dijo en cuanto al fin del mundo se cumplirá tan cierta y literalmente.

¿Solamente quién conoce el día preciso de la venida de Cristo?

"Pero del día y la hora *nadie sabe*, ni aun los ángeles de los cielos, *sino sólo mi Padre*" (vers. 36).

¿Qué condiciones morales precederán al segundo advenimiento de Cristo?

"Mas como en los días de Noé, así será la venida del Hijo del Hombre. *Porque como en los días antes del diluvio estaban comiendo y bebiendo, casándose y dando en casamiento*, hasta el día en que Noé entró en el arca, y no entendieron hasta que vino el diluvio y se los llevó a todos, asi será también la venida del Hijo del Hombre" (vers. 37-39).

¿Qué importante amonestación nos ha dado Cristo?

"Por tanto, *también vosotros estad preparados*; porque el Hijo del Hombre vendrá a la hora que no pensáis" (vers. 44).

¿Cuál será la suerte de aquellos que digan en su corazón que el Señor no va a venir pronto?

"Pero si aquel siervo malo dijere en su corazón: Mi señor tarda en venir; y comenzare a golpear a sus consiervos, y aun a comer y a beber con los borrachos, vendrá el señor de aquel siervo en día que éste no espera, y a la hora que no sabe, y lo castigará duramente, y pondrá su parte con los hipócritas; allí será el lloro y el crujir de dientes" (vers. 48-51).

Retorna, Maestro

Retorna, Maestro, te necesitamos;
esta vida nuestra no es vida sin ti.
Pon fin a este loco y audaz frenesí
que humilla y agosta lo que más amamos.

¿Qué vale la vida si no la vivimos,
desde que la matan pecado y dolor?
¿Qué vale esta tierra, desde que el horror
de todos los males en ella sufrimos?

Señor Jesucristo, tú lo has prometido
y no has fracasado en ninguna ocasión:
vuelve por aquellos a los que has querido

y de quienes eres única ilusión.
¡Vuelve ya, Maestro, te espera rendido
del amor más tierno nuestro corazón!

Braulio Pérez Marcio

CAPÍTULO 10

El Rey que Viene

¿Qué promesa hizo Cristo concerniente a su venida?

"No se turbe vuestro corazón; creéis en Dios, creed también en mí. En la casa de mi Padre muchas moradas hay; si así no fuera, yo os lo hubiera dicho; voy, pues, a preparar lugar para vosotros. Y si me fuere y os preparare lugar, *vendré otra vez,* y os tomaré a mí mismo, para que donde yo estoy, vosotros también estéis" (S. Juan 14:1-3).

¿Qué sigue a las señales de la venida de Cristo?

"Entonces *verán al Hijo del Hombre, que vendrá en una nube con poder y gran gloria*" (S. Lucas 21:27).

LOS ÁNGELES Y LOS APÓSTOLES LA PROCLAMARON

Al ascender Cristo, ¿cómo se prometió su regreso?

"Y estando ellos con los ojos puestos en el cielo, entre tanto que él se iba, he aquí se pusieron junto a ellos dos varones con vestiduras blancas, los cuales también les dijeron: Varones galileos ¿por qué estáis mirando al cielo? *Este mismo Jesús, que ha sido tomado de vosotros al cielo, así vendrá como le habéis visto ir al cielo*" (Hechos 1:10, 11).

¿Cómo expresó San Pablo esta esperanza?

"Aguardando la esperanza bienaventurada y la manifestación gloriosa de nuestro gran Dios y Salvador Jesucristo" (Tito 2:13).

¿Cuál es el testimonio de San Pedro a la venida de Cristo?

"Porque no os hemos dada a conocer el poder y la venida de nuestro Señor Jesucristo siguiendo fábulas artificiosas, sino como habiendo visto con nuestros propios ojos su majestad" (2 S. Pedro 1:16).

LOS DESPREVENIDOS

¿Estarán preparados los habitantes de la tierra en conjunto para recibir a Cristo?

"Entonces aparecerá la señal del Hijo del Hombre en el cielo; y *entonces lamentarán todas las tribus de la tierra,* y verán al Hijo del Hombre viniendo sobre las nubes del cielo, con poder y gran gloria" (S. Mateo 24:30). "He aquí que viene con las nubes, y todo ojo le verá, y *los que le traspasaron; y todos los linajes de la tierra harán lamentación por él*" (Apocalipsis 1:7).

¿Por qué muchos no estarán preparados para este acontecimiento?

"Pero si aquel siervo malo dijere en su corazón: *Mi señor tarda en venir*; y comenzare a golpear a sus consiervos, y aun a comer y a beber con los borrachos, vendrá el señor de aquel siervo en día que éste no espera, y a la hora que no sabe, y lo castigará duramente, y pondrá su parte con los hipócritas; allí será el lloro y el crujir de dientes" (S. Mateo 24:48-51).

¿Qué estará haciendo el mundo cuando venga Cristo?

"Mas como en los días de Noé, así será la venida del Hijo del Hombre. Porque como en los días antes del diluvio estaban *comiendo y bebiendo, casándose y dando en casamiento*, hasta el día en que Noé entró en el arca, y no entendieron hasta que vino el diluvio y se los llevó a todos, así será también la venida del Hijo del Hombre" (vers. 37-39). "Asimismo como sucedió en los días de Lot; *comían, bebían, compraban, vendían, plantaban, edificaban*; mas el día en que Lot salió de Sodoma, llovió del cielo fuego y azufre, y los destruyó a todos. Así será el día en que el Hijo del Hombre se manifieste" (S. Lucas 17:28-30).

Nota.—Estos pasajes no enseñan que sea malo en sí mismo el comer, beber, casarse, comprar, vender, plantar o edificar, sino que las mentes de los hombres estarán tan absorbidas por estas cosas que le darán poca atención, o ninguna, a la vida futura, y no harán planes ni preparación para encontrarse con Jesús cuando él venga,

¿Quién ciega a los hombres para que no capten ni aprecien el Evangelio de Cristo?

"En los cuales *el dios de este siglo* [Satanás] cegó el entendimiento de los incrédulos, para que no les resplandezca la luz del evangelio de la gloria de Cristo, el cual es la imagen de Dios" (2 Corintios 4:4).

Nota.—"Para mi mente esta preciosa doctrina —porque así debo llamarla— del regreso del Señor a esta tierra se enseña en el Nuevo Testamento tan claramente como cualquier otra; sin embargo yo estuve en la iglesia quince o dieciséis años antes de haber oído un sermón acerca de ella. Difícilmente haya una iglesia que no considere el bautismo como un gran asunto, pero en todas las epístolas de San Pablo creo que el bautismo se menciona solamente trece veces, mientras hablan acerca del regreso de nuestro Señor cincuenta veces; y sin embargo la iglesia ha tenido poco que decir al respecto. Ahora bien, yo puedo descubrir una razón para esto; el diablo no quiere que nosotros comprendamos esta verdad, porque nada despertaría tanto a la iglesia. El momento en que un hombre comprende la verdad de que Cristo está por regresar otra vez para recibir consigo a sus seguidores, este mundo pierde su dominio sobre él. Sus acciones en compañías de petróleo y de agua, y de bancos y de empresas ferroviarias, son de mucho menos importancia entonces para él. Su corazón está libre, y él espera la bienaventurada aparición de su Señor, quien, a su regreso, lo introducirá en su reino de gloria" (D. L. Moody, *The Second Coming of Christ* [La segunda venida de Cristo], Revell, pp. 6, 7).

" 'Este mismo Jesús, que ha sido tomado de vosotros al cielo, así vendrá como le habéis visto ir al cielo', es la promesa de despedida de Jesús para sus discípulos transmitida por medio de dos hombres con vestiduras blancas, mientras lo recibía una nube que lo ocultó de sus ojos. Cuando después de estar más de cincuenta años en la gloria rompe Jesús el silencio y habla una vez más en el Apocalipsis o Revelación que dio a su siervo Juan, el Evangelio posterior a su ascensión que él envía, comienza con las palabras: 'He aquí que viene con las nubes', y termina con 'Ciertamente vengo en breve'. Considerando el solemne énfasis puesto en esta doctrina, y considerando la gran preeminencia que se le da a través de las enseñanzas de nuestro Señor y de sus

apóstoles, ¿cómo ha sido posible que durante los primeros cinco años de mi vida pastoral no haya tenido en absoluto ningún lugar en mi predicación? Indudablemente la razón yace en la falta de instrucción previa. De todos los sermones oídos desde mi infancia, no recuerdo haber escuchado uno solo sobre este asunto" (A. J. Gordon, *How Christ Came to Church* [Cómo vino Cristo a la iglesia], pp. 44, 45).

PREPARADOS PARA SU VENIDA

¿Cuándo han de ser los salvos semejantes a Jesús?

"Amados, ahora somos hijos de Dios, y aún no se ha manifestado lo que hemos de ser; pero sabemos que *cuando él se manifieste, seremos semejantes a él*, porque le veremos tal como él es" (1 S. Juan 3:2).

¿Dará Cristo la recompensa cuando venga?

"Porque el Hijo del Hombre vendrá en la gloria de su Padre con sus ángeles, *y entonces pagará a cada uno conforme a sus obras*" (S. Mateo 16:27). "He aquí yo vengo pronto, y mi galardón conmigo, *para recompensar a cada uno según sea su obra*" (Apocalipsis 22:12).

¿A quiénes se promete salvación al aparecimiento de Cristo?

"Así también Cristo fue ofrecido una solo vez para llevar los pecados de muchos; y aparecerá por segunda vez, sin relación con el pecado, *para salvar a los que le esperan*" (Hebreos 9:28).

¿Qué influencia tiene esta esperanza en la vida?

"Sabemos que cuando él se manifieste, seremos semejantes a él, porque le veremos tal como él es. *Y todo aquel que tiene esta esperanza en él, se purifica a sí mismo, así como él es puro*" (1 S. Juan 3:2, 3).

¿A quiénes se promete una corona de justicia?

"Porque yo ya estoy para ser sacrificado, y el tiempo de mi partida está cercano. He peleado la buena batalla, he acabado la carrera, he guardado la fe. Por lo demás, me está guardada la corona de justicia, la cual me dará el Señor, juez justo, en aquel día; y no sólo a mí, sino también *a todos los que aman su venida*" (2 Timoteo 4:6-8).

¿Qué dirán los que le esperen, cuando Jesús venga?

"Y se dirá en aquel día: He aquí, éste es nuestro Dios, le hemos esperado, y nos salvará; éste es Jehová a quien hemos esperado, nos gozaremos y nos alegraremos en su salvación" (Isaías 25:9).

¿Ha sido revelado el tiempo exacto de la venida de Cristo?

"Pero del día y la hora *nadie sabe*, ni aun los ángeles de los cielos, sino sólo mi Padre" (S. Mateo 24:36).

En vista de este hecho, ¿qué nos dice Cristo que hagamos?

"*Velad*, pues, porque no sabéis a qué hora ha de venir vuestro Señor" (vers. 42).

Nota.—"Para los tranquilos y descuidados él vendrá como ladrón en la noche; para los suyos, como su Señor" (Henry Alford, *The New Testament for English Readers* [El Nuevo Testamento para los lectores de habla inglesa], tomo 1, p. 170).

"La actitud correcta de un cristiano es estar siempre esperando el regreso de su Señor" (D. L. Moody, *The Second Coming of Christ*, Revell, pág. 9).

¿Qué amonestación ha dado Cristo para que ese gran acontecimiento no nos tome de sorpresa?

"Mirad también por vosotros mismos, que vuestros corazones no se carguen de glotonería y embriaguez y de los afanes de esta vida, y venga de repente sobre vosotros aquel día. Porque como un lazo vendrá sobre todos los que habitan sobre la faz de toda la tierra. Velad, pues, en todo tiempo orando que seáis tenidos por dignos de escapar de todas estas cosas que vendrán, y de estar en pie delante del Hijo del Hombre" (S. Lucas 21:34-36).

¿Qué gracia cristiana se nos exhorta a ejercer en nuestro expectante anhelo de ese evento?

"Por tanto, hermanos, *tened paciencia* hasta la venida del Señor. Mirad cómo el labrador espera el precioso fruto de la tierra, aguardando con paciencia hasta que reciba la lluvia temprana y la tardía. Tened también vosotros *paciencia*, y afirmad vuestros corazones; porque la venida del Señor se acerca" (Santiago 5:7, 8).

¿Cuál ha sido la actitud general de los cristianos hacia la segunda venida de Cristo?

La creencia de la iglesia cristiana en la segunda venida de Cristo se echa de ver en la literatura cristiana desde el origen del así llamado Credo de los Apóstoles hasta nuestros días.

Nota.—Estas creencias pueden hallarse en la obra clásica *The Creeds of Christendom* [Las creencias de la cristiandad], Harper, por el gran historiador de la iglesia Philip Schaff. Citamos de esa obra sólo dos ejemplos:

"El Credo de Nicea fue el que obtuvo autoridad universal. Se basa en modelos más antiguos usados en diferentes iglesias del Oriente, y ha sufrido de nuevo algunos cambios... El Credo de Nicea original data del primer Concilio ecuménico, que se tuvo en Nicea, en 325 d.C." (tomo 1, pp. 24, 25). El texto del cual citamos es el texto original del año 325 d.C.:

"Creemos en ... un Señor, Jesucristo..., quien sufrió,... y al tercer día resucitó, ascendió al cielo; de donde vendrá para juzgar a los vivos y a los muertos" (Ibíd., pp. 28, 29).

La confesión Bautista de New Hampshire (1833), "ampliamente aceptada por los bautistas, especialmente en el norte y en el oeste de los Estados Unidos" (*Ibíd.*, tomo 3, p. 742), dice: "Creemos que se acerca el fin del mundo; que en el día postrero Cristo descenderá del cielo, y levantará del sepulcro a los muertos para darles la retribución final; que se producirá entonces una solemne separación; que los malos serán destinados al castigo eterno, y los justos al gozo eterno" (*Ibíd.*, p. 748).

¿VIENE CRISTO EN OCASIÓN DE LA MUERTE?

¿Pensaban los primeros discípulos que la muerte sería para el creyente la segunda venida de Cristo?

"Cuando Pedro le vio [a Juan], dijo a Jesús: Señor, ¿y qué de éste? Jesús le dijo: Si quiero que él quede hasta que yo venga, ¿qué a ti? Sígueme tú. Este dicho se extendió entonces entre los hermanos, que aquel discípulo no moriría. Pero Jesús no le dijo que no moriría, sino: Si quiero que él quede *hasta que yo venga*, ¿qué a ti?" (S. Juan 21:21-23).

Nota.—Según este pasaje es evidente que los primeros discípulos consideraban que la muerte y la venida de Cristo eran dos eventos separados.

"Por tanto, también vosotros estad preparados; porque el Hijo del Hombre vendrá a la hora que no pensáis. Algunos dicen que eso [la venida de Cristo] significa la muerte; pero la Palabra de Dios no dice tal cosa. La muerte es nuestro enemigo, pero nuestro Señor tiene las llaves de la muerte; él ha vencido la muerte, el infierno y el sepulcro... Cristo es el Príncipe de la vida. No hay muerte donde él está; la muerte huye a su venida; los cuerpos muertos saltaban a la vida cuando él los tocaba o les hablaba. Su venida no es muerte; él es la resurrección y la vida. Cuando él funde su reino no habrá muerte, sino vida eterna" (D. L Moody, *The Second Coming of Christ*, Revell, pp. 10, 11).

CRISTO Y LOS ÁNGELES TESTIFICAN

Cuando Cristo ascendía, ¿cómo dijeron los ángeles que volvería?

"Y habiendo dicho estas cosas, viéndolo ellos, fue alzado, y le recibió una nube que le ocultó de sus ojos. Y estando ellos con los ojos puestos en el cielo, entre tanto que él se iba, he aquí se pusieron junto a ellos dos varones con vestiduras blancas, los cuales también les dijeron: Varones galileos, ¿por qué estáis mirando al cielo? Este mismo Jesús, que ha sido tomado de vosotros al cielo, *así vendrá como le habéis visto ir al cielo*" (Hechos 1:9-11).

¿Cómo dijo Cristo mismo que él volvería?

"Porque el Hijo del Hombre vendrá en la gloria de su Padre con sus ángeles" (S. Mateo 16:27). "Entonces lamentarán todas las tribus de la tierra, y verán al Hijo del Hombre viniendo sobre las nubles del cielo, con poder y gran gloria" (S. Mateo 24:30).

HABLAN LOS APÓSTOLES JUAN Y PABLO

¿Cuántos lo verán cuando él venga?

"He aquí que viene con las nubes, *y todo ojo le verá*, y los que le traspasaron" (Apocalipsis 1:7).

Nota.—La segunda venida de Cristo será tan real como la primera, y tan visible como su ascensión, y mucho más gloriosa. El espiritualizar el regreso de nuestro Señor es pervertir el significado obvio de su promesa: "Vendré otra vez", y anular todo el plan de la redención; porque la recompensa de los fieles de todos los siglos ha de darse en ocasión de este acontecimiento, el más glorioso de todos.

¿Qué manifestación acompañará a su venida?

"Porque el mismo Señor descenderá del cielo *con voz de mando, con pregón de arcángel y con trompeta de Dios*, y los muertos en Cristo resucitarán primero" (1 Tesalonicenses 4:16, VHA).

JESÚS PREVIENE CONTRA EL ENGAÑO

¿Qué advertencia ha hecho Cristo concerniente a falsas apariciones?

"Entonces, si alguno os dijere: *Mirad, aquí está el Cristo, o mirad, allá está, no lo creáis*. Porque se levantarán falsos Cristos, y falsos profetas, y harán grandes señales y prodigios, de tal manera que engañarán, si fuere posible, aun a los escogidos. Ya os lo he dicho antes. Así que, si os dijeren: Mirad, está en el desierto, no salgáis; o mirad, está en los aposentos, no lo creáis" (S. Mateo 24:23-26).

¿Cuán visible ha de ser su venida?

"Porque como el relámpago que sale del oriente y se muestra hasta el occidente, así será también la venida del Hijo del Hombre" (vers. 27).

El Creador y el Sábado

LA OBSERVANCIA del séptimo día de la semana como día especial de adoración y de interrupción de las actividades seculares es tan antigua como la especie humana. ¿Cuál es su origen, su significado y su trascendencia? ¿Qué relación tiene con el culto al Dios verdadero expuesto en las Sagradas Escrituras y magnificado en el cristianismo genuino? Estas y otras preguntas se contestan en este y en los capítulos subsiguientes. Sobre este tema al parecer intrascendente, se hacen en estas páginas algunas revelaciones sorprendentes.

CÓMO FUE HECHO EL SÁBADO

¿Cuándo y por quién fue hecho el sábado o día de reposo?

"Fueron, pues, acabados los cielos y la tierra, y todo el ejército de ellos. Y acabó Dios en el día séptimo la obra que hizo; y reposó el día séptimo de toda la obra que hizo" (Génesis 2:1,2).

¿Cuál es la razón de la santificación del sábado?

"Pues en seis días hizo Yavé los cielos y la tierra, el mar y cuanto en ellos se contiene, y el séptimo descansó; por eso bendijo Yavé el día del sábado y lo santificó" (Éxodo 20:11, NC).

Nota.—El sábado es el conmemorativo de la creación. Dios dispuso que mediante su observancia el hombre lo recordara siempre como el Dios vivo y verdadero, el Creador de todas las cosas.

En cuanto a la perpetuidad del mandamiento del sábado, Wesley declaró: " 'Seis días trabajarás, y harás toda tu obra; mas el séptimo día es reposo para Jehová tu Dios'. No es el día tuyo, sino el día de Dios. Él lo reclama como su propiedad. Siempre lo reclamó como suyo, aun desde el principio del mundo. En seis días hizo el Señor el cielo y la tierra, y el séptimo descansó. Por tanto el Señor bendijo el día sábado y lo santificó.

Él lo santificó; es decir, lo hizo santo; lo reservó para su propio servicio. Él indicó que, mientras duraran el sol o la luna, los cielos y la tierra, los hijos de los hombres deberían dedicar ese día a adorar a Aquel que da a todos vida y aliento y todas las cosas" (Juan Wesley), "Una palabra a un transgresor del sábado," en *Works*, tomo 2, ed. 1830, pp. 164-166).

¿Tuvo Cristo algo que ver con la creación y con la institución del sábado?

"Todas las cosas por él fueron hechas, y sin él nada de lo que ha sido hecho, fue hecho" (S. Juan 1:3. Véase también Efesios 3:9; Colosenses 1:16; Hebreos 1:2).

Nota.—Cristo fue el agente activo de la creación. Dios descansó en el séptimo día de la obra de la creación; Cristo tiene que haber descansado en el séptimo día con el Padre. Consecuentemente es su día de reposo tanto como del Padre.

Después de reposar en el séptimo día, ¿qué hizo Dios?

"Y bendijo Dios al día séptimo, y lo santificó porque en él reposó de toda la obra que había hecho en la creación" (Génesis 2:3).

Nota.—De tres distintos actos divinos, pues, surge el sábado: Dios reposó en él; lo bendijo; lo santificó. Santificar algo significa "hacerlo sagrado o santo", "consagrarlo", "apartarlo para un uso sagrado".

EL HOMBRE Y EL SÁBADO

¿Para quién dijo Cristo que fue hecho el sábado?

"Y añadió: El sábado ha sido hecho para el hombre, y no el hombre para el sábado" (S. Marcos 2:27, NC, 1960).

Nota.—El hombre aquí significa la humanidad. Dios instituyó el sábado para que fuese una fuente de beneficio y bendición para la familia humana.

"Jesús dice: 'El sábado ha sido hecho para el hombre'; y la necesaria inferencia es que desde el principio el hombre conocía los usos fundamentales del día, y recibía los beneficios que el sábado estaba destinado a impartir...

"Antes que la ley fuese dada desde el Sinaí se comprendía la obligación del sábado" (J. J. Taylor [bautista], *The Sabbatic Question* [El problema del sábado], Revell, ed. 1914, pp. 20-24).

En cuanto a la perpetuidad del mandamiento del sábado, Moody escribió: "Yo creo honestamente que este mandamiento es tan obligatorio hoy como lo fue siempre. He hablado con hombres que han dicho que ha sido abrogado, pero nunca han podido señalar un lugar en la Biblia en que se diga que Dios lo abolió. Cuando Cristo estuvo en la tierra no hizo nada para descartarlo; lo liberó de los estigmas que los escribas y fariseos le habían impuesto, y le dio su verdadero lugar. 'El sábado ha sido hecho para el hombre, y no el hombre para el sábado'. Es tan practicable y tan necesario para los hombres hoy como siempre lo fue; de hecho, más que nunca, porque vivimos en una época de mucha tensión.

"El sábado comenzó en el Edén, y desde entonces ha estado siempre en vigencia. Este cuarto mandamiento comienza con la palabra 'Acuérdate', que indica que ya existía el sábado cuando Dios escribió su ley en las tablas de piedra en el Sinaí. ¿Cómo pueden alegar los hombres que este mandamiento ha sido anulado cuando admiten que los otros nueve son todavía obligatorios?" (D. L. Moody, *Weighed and Wanting* [Pesado y hallado falto], ed. 1898, pp. 46, 47).

¿Cuándo bendijo y santificó Dios el séptimo día?

"Y acabó Dios en el día séptimo la obra que hizo; y reposó el día séptimo de toda la obra que hizo. Y bendijo Dios al día séptimo, y lo santificó, porque en él reposó de toda la obra que había hecho en la creación" (Génesis 2:2,3).

Nota.—"Si no tuviéramos otro pasaje que éste de Génesis 2:3, no sería difícil derivar de él un precepto que dispusiera la observancia universal del sábado, o séptimo día, para que fuese dedicado a Dios como tiempo sagrado, por todo el género humano, para el cual fue especialmente preparada la tierra y su naturaleza. Los primeros hombres tienen que haberlo sabido. De lo contrario las palabras 'lo santificó' no tendrían sentido. No tendrían significado alguno a menos que se refirieran a quienes se les requiriera que lo santificaran" (Juan Pedro Lange, *A Commentary on the Holy Scriptures* [Un comentario sobre las Sagradas Escrituras], sobre Génesis 2:3, tomo 1, p. 197).

LA PRUEBA DEL SÁBADO EN ISRAEL

¿Qué requiere el mandamiento del sábado?

"Acuérdate del día del sábado para santificarlo. Seis días trabajarás y harás tus obras, pero el séptimo día es día de descanso, consagrado a Yavé, tu Dios, y no harás en él trabajo alguno, ni tú, ni tu hijo, ni tu hija, ni tu siervo, ni tu sierva, ni tu ganado, ni el extranjero que esté dentro de tus puertas" (Éxodo 20:8-10, NC).

Nota.—Comentando Éxodo 16:4, 22-30, Lutero dice: " Por esto podéis ver que el sábado existía antes que la ley de Moisés, y ha existido desde el principio del mundo. Especialmente los devotos que han conservado la fe verdadera se reunían y buscaban a Dios en ese día" (Traducido de *Auslegung des Alten Testaments* [Comentario del Antiguo Testamento], en Sammtliche Schriften [Colección de escritos], publicado por J.G. Walch, tomo 3, col. 950).

¿Cómo probó Dios a Israel en el desierto?

"Y Jehová dijo a Moisés: He aquí yo os haré llover pan del cielo; y el pueblo saldrá, y recogerá diariamente la porción de un día, para que yo lo pruebe si anda en mi ley, o no" (Éxodo 16:4).

¿En qué día se recogía una porción doble de maná?

"En el sexto día recogieron doble porción de comida, dos gomeres para cada uno" (vers. 22).

¿Qué dijo Moisés a los príncipes de la congregación?

"Y él les dijo: Ésto es lo que ha dicho Jehová: Mañana es el santo día de reposo, el reposo consagrado a Jehová" (vers. 23).

Nota.—"2. El sábado [día de reposo] es indispensable para el hombre, pues promueve su más elevado bienestar, físico, intelectual, social, espiritual y eterno. De ahí que su observancia se vincule con las mejores promesas, y su violación con los más severos castigos (Éxodo 23:12; 31:12-18; Nehemías 13:15-22; Isaías 56:2-7; 58:13,14; Jeremías 17:21-27; Ezequiel 20:12,13; 22:26-31).En la recolección del maná se ponía de manifiesto en forma muy clara la santidad del sábado (Éxodo 16:22-30).

"3. La ley original del sábado fue renovada y convertida en una parte prominente de la ley moral, los Diez Mandamientos, dados por medio de Moisés en el Sinaí (Éxodo 20:8-11)" (Amós Binney y Daniel Steele, *Binney's Theological Compend Improved* [Compendio teológico ampliado de Binney], ed. 1902, p.170).

¿Qué hicieron en el séptimo día algunos del pueblo?

"Y aconteció que algunos del pueblo salieron en el séptimo día a recoger, y no hallaron" (vers. 27).

¿Cómo censuró Dios su desobediencia?

"Y Jehová dijo a Moisés: ¿Hasta cuándo no querréis guardar mis mandamientos y mis leyes?" (vers, 28).

¿Por qué se daba doble cantidad de maná en el sexto día?

"Mirad que Yavé os ha dado el sábado, y por eso el día sexto os da pan para dos días. Que se quede cada uno en su puesto, y no salga de él el día séptimo" (vers. 29, NC).

¿Cómo, entonces, probó el Señor al pueblo?

Por medio de la observancia del sábado.

Nota.—Así podemos ver que el mandamiento del sábado era una parte de la ley de Dios antes que dicha ley fuera promulgada desde el Sinaí, porque este incidente ocurrió antes que Israel llegara al Sinaí.

"Como se lo presenta en las Escrituras, el sábado no fue invención de ningún fundador de religión. No fue al principio parte de ningún sistema religioso, sino una institución enteramente independiente. En forma muy definida se lo presenta en Génesis como la primera institución inaugurada por el mismo Creador, una institución puramente religiosa, enteramente moral, enteramente espiritual. No tenía ceremonias prescritas, no tenía significado sacramental. No requería sacerdote, ni liturgia. Era para el hombre, como criatura, mayordomo y amigo de Dios" (W. O. Carver, *Sabbath Observance* [La observancia del sábado], p. 41. Derecho de propiedad, 1940, de la Junta de la escuela dominical de la Convención Bautista del Sur. Usado con permiso).

EL MONUMENTO CONMEMORATIVO DE DIOS

Los hombres y los pueblos que ignoran u olvidan su origen, malamente pueden cumplir su misión o destino. De aquí la importancia de los días y los monumentos que nos recuerdan el punto de partida y los acontecimientos sobresalientes de la nacionalidad o de la institución de la cual formamos parte. ¿Qué hechos de gran importancia están destinados a recordarnos el monumento conmemorativo de Dios?

EJEMPLOS DE MONUMENTOS CONMEMORATIVOS

¿Qué se declaró que era el monumento erigido por Josué?

"Estas piedras servirán de monumento conmemorativo a los hijos de Israel para siempre" (Josué 4:7).

¿Qué habrían de conmemorar esas piedras?

"Y habló a los hijos de Israel, diciendo: Cuando mañana preguntaren vuestros hijos a sus padres, y dijeren: ¿Qué significan estas piedras? declararéis a vuestros hijos, diciendo: Israel pasó en seco por este Jordán" (vers. 21, 22).

Nota.—Esas piedras habrían de ser un monumento conmemorativo perdurable, o recordativo, de la travesía en seco del Jordán por Israel.

¿Qué se dice de la Pascua en este sentido?

"Y este día os será en memoria, y lo celebraréis como fiesta solemne para Jehová durante vuestras generaciones, por estatuto perpetuo lo celebraréis" (Éxodo 12:14).

Nota.—La Pascua era un monumento conmemorativo periódico, que debía celebrarse el decimocuarto día del primer mes de cada año, día en el cual los israelitas fueron librados de la esclavitud egipcia, y la celebración habría de hacerse durante los siete días subsiguientes con pan sin leudar, para conmemorar ese acontecimiento (véase Éxodo 13:3-9).

LA CREACIÓN Y EL MONUMENTO CONMEMORATIVO DE DIOS

¿Qué ha ordenado Dios a los hombres que observen en memoria de su obra de creación?

"Acuérdate de santificar el día de sábado... Por cuanto el Señor en seis días hizo el cielo, y la tierra, y el mar, y todas las cosas que hay en ellos, y descansó en el día séptimo; por esto bendijo el Señor el día del sábado y lo santificó" (Éxodo 20:2 8-11, VA).

¿De qué debía ser una señal este monumento conmemorativo?

"Santificad mis sábados y sean señal entre mí y vosotros, para que sepáis que yo soy Yavé, vuestro Dios" (Ezequiel 20:20, NC).

¿Durante cuánto tiempo habría de ser el sábado una señal del Dios verdadero?

"Señal es para siempre entre mí y los hijos de Israel; porque en seis días hizo Jehová los cielos y la tierra, y en el séptimo día cesó y reposó" (Éxodo 31:17).

Nota.—Es evidente que si el objeto del sábado era recordar al Creador, y el día hubiera sido guardado fielmente desde el principio, no habría ahora ningún pagano, idólatra o ateo en la faz de la tierra.

MONUMENTO CONMEMORATIVO DE LA LIBERACIÓN Y REDENCIÓN

¿Qué otras cosas además de la creación habrían de recordar los hijos de Israel cuando observaran el sábado?

"Acuérdate que tú también fuiste esclavo en Egipto, y que de allí te sacó el Señor, tu Dios, con mano poderosa y brazo levantado. Por eso te ha mandado que guardases el día de sábado" (Deuteronomio 5:15, VA).

Nota.—El recuerdo de su esclavitud y opresiva condición en Egipto habría de ser para los israelitas un incentivo adicional para guardar el sábado en la tierra de libertad. El sábado, por lo tanto, además de ser un conmemorativo de la creación, habría de ser para ellos un conmemorativo de su liberación de la esclavitud y del gran poder que Dios manifestó en esta liberación. Y como Egipto es un símbolo de la condición de todos los habitantes del mundo bajo la esclavitud del pecado, el sábado debe ser guardado por toda alma salvada como un conmemorativo de la liberación de esta esclavitud por el magno poder de Dios mediante Cristo.

¿De qué más, dice Dios, había de ser el sábado una señal o recuerdo para su pueblo?

"Además les instituí mis sábados, para que fuesen por señal entre mí y ellos, y conociesen que yo soy el Señor que los santifica" (Ezequiel 20:12, VA).

Nota.—La santificación es una obra de redención. Es la obra de convertir en santos a los pecadores o profanos. Al igual que la obra de la creación, la de la redención requiere poder creador (véase Salmo 51:10, S. Juan 3:3, 6; Efesios 2:10). Y como el sábado es la señal, o el conmemorativo apropiado del poder creador de Dios, lo es también del poder re-creador de Dios. Esta será una gran razón de su observancia por los santos en la eternidad. No solamente les recordará su propia creación y la creación del universo, sino también su redención.

¿Por medio de quién tenemos la santificación?

"Mas por él estáis vosotros en Cristo Jesús, el cual nos ha sido hecho por Dios sabiduría, justificación, santificación y redención" (1 Corintios 1:30).

Nota.—De manera que, como el sábado es una señal o un conmemorativo de que Dios es el que nos santifica, y como Cristo es aquel por medio de quien se realiza la santificación, el sábado es una señal, o conmemorativo de que el creyente está unido con Cristo. Dios dispuso, por lo mismo, que mediante el sábado el creyente y Cristo estén unidos muy estrechamente.

¿Cuán a menudo se congregarán los redimidos para adorar al Señor?

"Porque como los cielos nuevos, y la nueva tierra que yo haré permanecen delante de mí, así permanecerá tu descendencia y tu renombre, dice el Señor. Y de mes en mes y de sábado en sábado vendrá todo hombre a mostrarse delante de mí, y me adorará, dice el Señor" (Isaías 66:22, 23, VA).

Nota.—El sábado, que es el conmemorativo del poder creador de Dios, nunca dejará de existir. Cuando este estado pecaminoso de las cosas ceda su lugar a la inmaculada tierra nueva, el hecho sobre el cual se basa la institución del sábado permanecerá todavía; y aquellos a quienes se les permitirá vivir en la tierra nueva conmemorarán todavía el poder creador de Dios mientras canten el cántico de Moisés y del Cordero (Apocalipsis 15:3. Véase Apocalipsis 22:1, 2).

EL AUTOR Y OBSERVADOR DEL SÁBADO

¿De qué dijo Cristo que el Hijo del hombre es Señor?

"Porque el Hijo del Hombre es señor del sábado" (S. Mateo 12:8, NC. Véase también S. Marcos 2:28).

¿Quién hizo el sábado?

"Todas las cosas por él fueron hechas [por Cristo, el Verbo]" (S. Juan 1:3).

Nota.—Cristo fue el agente de la creación.

¿Guardaba Cristo el sábado mientras estuvo en la tierra?

"Entró, según su costumbre, el día de sábado en la sinagoga, y se levantó para leer" (S. Lucas 4:16, VA).

UN DEBATE EN CUANTO A CÓMO GUARDAR EL SÁBADO

Aunque Jesús era señor, autor, y observador del sábado, ¿cómo se le acechaba en ese día?

"Y los escribas y fariseos le estaban acechando, para ver si curaría en sábado, para tener de qué acusarle" (S.Lucas 6:7, VA).

¿Cómo hizo frente Cristo a las falsas ideas de ellos en cuanto a la observancia del sábado?

"Díjoles entonces Jesús...: ¿Es lícito en los días de sábado hacer bien y no mal? ¿Salvar a un hombre la vida o quitársela?" (vers. 9, VA).

¿Cómo manifestaron ellos su disgusto cuando él sanó en sábado al hombre que tenía una mano seca?

"Y ellos se llenaron de furor, y hablaban entre sí qué podrían hacer contra Jesús" (vers. 11). "Y salidos los fariseos, tomaron consejo ... contra él para destruirle" (S. Marcos 3:6).

Nota.—Aunque el milagro realizado por Cristo había evidenciado que él procedía de Dios, los fariseos estaban enfurecidos porque había mostrado que los conceptos de ellos sobre la observancia del sábado eran incorrectos. El orgullo herido, la obstinación y la malicia, por tanto, se combinaron para llenarlos de furor; y salieron inmediatamente y consultaron con los herodianos —sus enemigos— para lograr su muerte.

Debido a que Jesús sanó a un hombre en sábado, y le dijo que tomara su lecho y caminara, ¿qué hacían los judíos?

"Y por esta causa los judíos perseguían a Jesús, y procuraban matarle, por cuanto hacía estas cosas en el sábado" (S.Juan 5:16, VM).

Nota.—Es digno de notar que no poca de la malicia que provocó finalmente su crucifixión fue engendrada por este preciso problema de la observancia del sábado. Como Cristo no guardaba el sábado de acuerdo con las ideas de los judíos, ellos trataban de matarlo. Muchos abrigan hoy día este mismo espíritu. Porque algunos no están de acuerdo con sus ideas acerca del día de reposo, o la observancia del sábado, tratan de perseguirlos y oprimirlos, procuran que se dicten leyes, y buscan alianzas con poderes políticos para lograr que se respeten sus puntos de vista.

¿Cómo les respondió Jesús?

"Y Jesús les respondió: Mi Padre hasta ahora trabaja, y yo trabajo" (vers. 17).

Nota.—Los fenómenos comunes de la naturaleza, que se manifiestan en el poder sustentador, benéfico y curativo del Dios omnipotente, continúan produciéndose en sábado. El cooperar con Dios y la naturaleza en la obra de sanar en sábado no puede, por tanto, estar en desacuerdo con la ley divina del sábado.

¿Cuál fue el efecto de esta respuesta sobre los judíos?

"Por esto los judíos aun más procuraban matarle" (vers. 18).

Debido a que los discípulos arrancaron algunas espigas de trigo en el día sábado para aplacar el hambre, ¿qué dijeron los fariseos?

"Entonces los fariseos le dijeron: Mira, ¿por qué hacen en el día de reposo lo que no es lícito?"

¿Cuál fue la respuesta de Cristo?

"Y él les respondió: ¿No habéis vosotros jamás leído lo que hizo David en la necesidad en que se vio, cuando se halló acosado de hambre, así él como los que le acompañaban? ¿Cómo... comió los panes de la proposición, que no era lícito comer sino a los sacerdotes, y dio de ellos a los que le acompañaban? Y añadióles: El sábado se hizo para el hombre, y no el hombre para el sábado" (S. Marcos 2:25-27, VA).

¿Qué se dijo del sanamiento de una mujer realizado por Cristo en sábado?

"Él jefe de la sinagoga, indignado ... dijo al pueblo: Seis *días* hay *destinados al* trabajo: en esos días podéis venir a curaros, y no en el día de sábado" (S. Lucas 13:14, VA).

¿Cuál fue la respuesta de Cristo?

"¡Hipócritas!, ¿cada uno de vosotros no suelta su buey o su asno del pesebre, aunque sea sábado, y los lleva a abrevar? Y a esta hija de Abraham a quien, como veis, ha tenido atada Satanás por espacio de dieciocho años, ¿no será permitido desatarla de estos lazos en día de sábado?" (vers. 15,16, VA. Véase S. Lucas 14: 5; 15:5; S. Mateo 12:11).

¿Qué efecto tuvo sobre sus oyentes la respuesta de Cristo?

"Al decir él estas cosas, se avergonzaban todos *sus adversarios; pero todo el* pueblo se regocijaba por todas las cosas gloriosas hechas por él" (S. Lucas 13:17).

¿Cómo justificó Cristo la realización de actos de misericordia en sábado?

"Mas él les dijo: ¿Qué hombre habrá entre vosotros, que tenga una oveja y, si ésta cae en una fosa en sábado, no la levante y saque fuera? Pero ¡cuánto vale más un hombre que una oveja! Luego es lícito el hacer bien en día de sábado" (S. Mateo 12:11,12, VA. Véase también S. Lucas 14: 5, 6).

Nota.—"Jesús observaba el día de descanso de su propio pueblo. Era su costumbre adorar en la sinagoga en el día sábado. Después de emprender su propio ministerio, él y sus discípulos continuaron reconociendo el uso del día sábado, pero de acuerdo con su propio criterio e interpretación individual y espiritual. Aunque la observancia del sábado fue convertida por los fariseos en uno de los principales asuntos de acerbo antagonismo hacia él, Jesús continuó reconociendo el sábado y no dijo una sola palabra que pudiera propiamente interpretarse *como* falta de profunda reverencia. Aparentemente, él esperaba que sus seguidores continuaran conservando e inculcando el espíritu del sábado histórico" (W. O. Carver, *Sabbath Observance*, p. 25. Derecho de propiedad, 1940, de la Junta de la Escuela Dominical de la Convención Bautista del Sur. Usado con permiso).

¿Qué disputa provocaban los milagros de Cristo?

"Por lo que decían algunos de los fariseos: No es de Dios este hombre, pues no guarda el sábado. Otros, empero, decían: ¿Cómo un hombre pecador puede hacer tales milagros? Y había disensión entre ellos" (S. Juan 9:16, VA).

Nota.—Por estos milagros Dios estaba colocando el sello de su aprobación sobre los conceptos y las enseñanzas de Cristo en cuanto al sábado, y sobre su manera de observarlo, y condenando así los conceptos estrechos y falsos de los fariseos. De aquí la oposición al ministerio de Cristo.

JESÚS MAGNIFICA EL SÁBADO

Según Isaías, ¿qué habría de hacer Cristo con la ley?

Jehová se complació por amor de su justicia *en magnificar la ley y engrandecerla*" (Isaías 42:21).

Nota.—En nada, quizá, se cumplió esto más notablemente que en el asunto de la observancia del sábado. Por medio de numerosos reglamentos tradicionales y restricciones sin sentido los judíos habían convertido el sábado en una carga, carente de toda delicia. Cristo quitó todas estas cosas, y por su vida y enseñanzas restauró el sábado a su debido lugar como día de culto, de contemplación de Dios, un día destinado a actos de caridad y misericordia. Así él lo magnificó y lo hizo honorable. Uno de los rasgos más prominentes del ministerio de Cristo fue esta reforma del sábado. Cristo no abolió o cambió el sábado, sino que lo rescató de los escombros de la tradición, las ideas falsas y las supersticiones que lo habían degradado. Los fariseos habían colocado la institución por encima del hombre, y en contra del hombre, Cristo invirtió el orden, y dijo: "El sábado fue hecho para el hombre, y no el hombre para el sábado". Indicó que estaba destinado a contribuir a la felicidad y el bienestar de los hombres y de las bestias.

En vista de la destrucción de Jerusalén que

ocurriría más adelante, ¿por qué cosa dijo Cristo que sus discípulos debían orar?

"Rogad, pues, que vuestra huida no sea en invierno o en sábado" (S. Mateo 24:20, VA).

Nota.—"Cristo está hablando aquí de la huida de Jerusalén y Judea que debían realizar los apóstoles y otros cristianos, inmediatamente antes de que aquéllas fueran finalmente destruidas, como es evidente por todo el contexto, y especialmente por el versículo 16: Entonces los que estén en Judea, huyan a los montes. Pero la destrucción de Jerusalén ocurrió después de la disolución de la nación judía, como pueblo de Dios, y después que la dispensación cristiana fue plenamente instituida. Estas palabras del Señor implican que los cristianos estaban obligados todavía a la estricta observancia del sábado" (Jonatán Edwards, *Works*. Reimpresión de la ed. de Worcester, 1844-1848, tomo 4, pp. 621, 622). El gran Maestro nunca insinuó que el sábado era una ordenanza ceremonial destinada a cesar con el ritual mosaico... En lugar de predecir su extinción juntamente con la ley ceremonial, habló de su existencia después de la caída de Jerusalén (véase S. Mateo 24:20)" (W. D. Killen [presbiteriano irlandés], *The Ancient Church* [La iglesia antigua], ed. 1883, p. 188).

EL SÁBADO Y LA CRUZ

¿Qué día precede inmediatamente al primero de la semana?

"Pasado *el día de reposo*, al amanecer del primer día de la semana..." (S. Mateo 28:1).

Nota.—De acuerdo con el Nuevo Testamento, por lo tanto, el día de reposo había pasado cuando comenzó el primer día de la semana.

Después de la crucifixión, ¿qué día guardaron las mujeres que seguían a Jesús?

"Y al volverse, prepararon especias y ungüentos; y el sábado descansaron, según el mandamiento (S. Lucas 23:56, VM).

¿Qué día de la semana es el día de descanso "según el mandamiento"?

"Mas el día séptimo es día de descanso, consagrado a Jehová tu Dios" (Éxodo 20:10, VM).

JESÚS Y EL SÁBADO

¿Cuál era la costumbre de Cristo en el sábado?

"Y vino a Nazaret, donde había sido criado; y entró, como era su costumbre, el día de sábado, en la sinagoga, y levantóse a leer" (S. Lucas 4:16, VM).

EL APÓSTOL PABLO Y EL SÁBADO

¿En qué día predicaron Pablo y Bernabé en Antioquía?

"Llegaron a Antioquía de Pisidia, y el sábado entraron en la sinagoga" (Hechos 13:14, VA).

¿Cuándo pidieron los gentiles que Pablo repitiera su sermón?

"Y saliendo ellos de la sinagoga, le rogaron que el sábado siguiente también les hablasen de estas cosas" (vers. 42, VM).

¿En qué día predicó San Pablo a las mujeres en Filipos?

"Y el día del sábado salimos fuera de la puerta, junto al río, donde suponíamos que habría un lugar de oración, y sentándonos, hablamos con las mujeres que se habían reunido" (Hechos 16:13, VM).

¿En qué día predicó San Pablo a los judíos en Tesalónica?

"Llegaron a Tesalónica, donde había sinagoga de los judíos; y Pablo, según era su costumbre, entró en medio de ellos, y durante tres sábados razonó con ellos, sacando sus argumentos de las Escrituras" (Hechos 17:1, 2, VM).

¿Cómo usaba el apóstol los días de trabajo de la semana cuando estaba en Corinto, y qué hacía los sábados?

"Y porque era del mismo oficio, hospedóse con ellos, y trabajaban juntos; porque el oficio de ellos era hacer tiendas de campaña" (Hechos 18:3, VM. Véase Ezequiel 46:1). "Y razonaba en la sinagoga cada sábado, y procuraba persuadir a judíos y a griegos" (vers. 4, VM).

SAN JUAN Y EL DÍA DEL SEÑOR

¿En qué día tuvo San Juan una visión?

"Yo estaba en el Espíritu *en el día del Señor*" (Apocalipsis 1:10).

"Así que el Hijo del hombre es Señor aun del sábado" (S. Marcos 2:28, VM).

¿Cómo llama el Señor al sábado, por medio de Isaías?

" Si te guardas de profanar el sábado, de tratar tus asuntos *en mi día santo*" (Isaías 58:13, VN).

¿Por qué el Señor llama al sábado su día?

"Por cuanto el Señor en seis días hizo el cielo, y la tierra, y el mar, y todas las cosas que hay en ellos, y *descansó en el día séptimo*; por ésto *bendijo* el Señor el día del sábado y *lo santificó*" (Éxodo 20:11, VA).

¿Por medio de quién creó Dios el mundo?

Dios, ... en estos postreros días nos ha hablado por *su Hijo, ... por quien asimismo hizo el universo*" (Hebreos 1:1, 2).

Nota.—La Biblia no reconoce sino un día de descanso semanal, el día en que Dios reposó en el principio. Ese día fue confirmado en el Sinaí (Nehemías 9:13, 14), fue observado por Cristo y sus apóstoles y habrá de ser guardado por los redimidos en la tierra nueva (Isaías 66:22, 23).

Los términos sábado, sábados y días sábados aparecen 60 veces en el Nuevo Testamento, y con una sola excepción se refieren siempre al séptimo día. En Colosenses 2:16,1 7 se refieren a los sábados o días de descanso anuales vinculados con las tres fiestas anuales observadas por Israel antes de la primera venida de Cristo.

"El nombre sagrado del séptimo día es sábado [*Sabbath,* en inglés, a diferencia de Saturday, el nombre común del séptimo día]. Este es un hecho tan claro que no necesita discutirse. Esta verdad se declara en pocas palabras: "Mas el día séptimo es sábado, consagrado al Señor tu Dios" (VA). Esta declaración se repite en Éxodo 16:26; 23:12; 31:15; 35:2; Levítico 23:3 y Deuteronomio 5:14. La enseñanza clara de la Palabra sobre este punto ha sido admitida en todos los siglos. Exceptuando ciertos sábados o días de descanso especiales indicados en la ley levítica, y éstos regidos invariablemente por el mes en lugar de la semana, la Biblia nunca aplica, ni una sola vez, la palabra sábado a ningún otro día" (J. Taylor, *The Sabbatic Question*, Revell, pp. 16, 17).

En el Nuevo Testamento, no se menciona sino ocho veces el primer día de la semana, seis de las cuales se hallan en los cuatro Evangelios, y se refieren al día en que Cristo resucitó (véase S. Mateo 28:1; S. Marcos 16:2, 9; S. Lucas 24:1; S. Juan 20:1,19). Las otras dos (Hechos 20:7; 1 Corintios 16:2) se refieren a la única reunión religiosa realizada en el primer día de la semana después de la ascensión, en los días de los apóstoles, registrada en el Nuevo Testamento, y a un sistema de contabilidad y colocación de dinero en depósito en la casa para los santos pobres de Judea y Jerusalén.

Es evidente, por lo tanto, que el día de reposo del Nuevo Testamento es el mismo día de reposo del Antiguo Testamento, y que no hay nada en el Nuevo Testamento que desplace al reposo del séptimo día y coloque al primer día de la semana en su lugar.

CAPÍTULO 12

El Inmutable Día de Dios

LA MAYOR parte de la cristiandad observa actualmente el domingo en lugar del sábado como el día de reposo semanal y de adoración especial. ¿En qué se basa? ¿En la anulación del cuarto mandamiento del Decálogo? ¿En alguna orden divina respecto al cambio del día de reposo?

¿Cómo y cuándo se produjo el cambio? ¿En qué autoridad se funda?

EL SÁBADO Y LA LEY

¿De qué es una parte el mandamiento del sábado?

De la ley de Dios (véase Éxodo 20: 8-11).

En su sermón más famoso, ¿qué dijo Cristo en cuanto a la ley?

"No penséis que he venido para abrogar la ley o los profetas; no he venido para abrogar, sino para cumplir" (S. Mateo 5:17).

Nota.—"Él [Cristo] cumplió la ley moral obedeciéndola, exponiendo la plenitud de su significado, mostrando su profunda espiritualidad, y la estableció sobre una base más segura que nunca como la eterna ley de justicia. Él cumplió la ley ceremonial y típica, no sólo aviniéndose a sus requerimientos, sino haciendo real su significado espiritual. Él completó los planes prefigurados por los símbolos que, cumplidos así, caducaron, y ya no necesitamos nosotros observar la Pascua o matar diariamente el cordero: nosotros tenemos la sustancia o realidad en Cristo" (*The International Standard Bible Encyclopaedia* [La enciclopedia internacional modelo de la Biblia], t. 3, p. 1847).

¿Cuán duradera dijo él que es la ley?

"Hasta que pasen el cielo y la tierra, ni una jota ni una tilde pasará de la ley, hasta que todo se haya cumplido" (vers. 18).

¿Qué dijo él de aquel que quebrante uno de estos más mínimos mandamientos, y enseñe a los hombres a hacer lo mismo?

"E1 que violare, pues, uno de estos mandamientos, por mínimos que parezcan, y enseñare a los hombres a hacer lo mismo, será tenido por el más pequeño en el reino de los cielos" (vers. 19, VA)

Nota.—Según esto es evidente que los Diez Mandamientos están en vigencia en la dispensación cristiana, y que Cristo no había pensado cambiar ninguno de ellos. Uno de éstos ordena la observancia del séptimo día como el día de reposo. Pero la mayoría de los cristianos guarda en su lugar el primer día de la semana.

"Es un hecho notable y lamentable que mientras la mayoría de los cristianos considera el Decálogo como un todo de obligación personal y perpetua, tantos consideren el cuarto mandamiento como una excepción. Es el más completo y abarcante de todos ellos y, como ninguno de los demás, está expresado tanto en forma positiva como negativa" (W. C. Procter en *Moody Bible Institute Monthly* [Órgano mensual del Instituto Bíblico Moody], diciembre 1933, p. 160).

Muchos creen que Cristo cambió el día de reposo. Pero, de acuerdo con sus propias palabras, vemos que él no vino con ese propósito. La responsabilidad de este cambio debe buscarse, pues, en otra parte.

Los que creen que Jesús cambió el día de reposo se basan solamente en una suposición:

"Jesús, después de su resurrección, cambió el día de reposo del séptimo al primer día de la semana, con lo que mostró su autoridad como Señor aún del sábado...

"No se nos dice cuándo Jesús indicó que se hiciera este cambio, pero parece muy posible que lo haya hecho cuando habló a sus discípulos acerca de su reino (Hechos 1:3). Esta es probablemente una de las muchas cosas hechas por Cristo que no se escribieron (S. Juan

20:30; 21:25)" (Amós Binney y Daniel Steele [metodistas], *Binney's Theological Compend Improved* [Compendio teológico revisado de Binney], p. 171).

LA BIBLIA PREDICE EL CAMBIO INTENTADO

¿Qué dijo Dios, por medio del profeta Daniel, que pensaría hacer el poder representado por "el cuerno pequeño"?

"Y hablará palabras contra el Altísimo, y a los santos del Altísimo quebrantará, y pensará en cambiar los tiempos y la ley" (Daniel 7: 25).

¿Qué dijo el apóstol Pablo que haría "el hombre de pecado"?

"Ese día no puede venir, sin que venga primero la apostasía, y sea revelado el hombre de pecado, el hijo de perdición; el cual se opone a Dios, y se ensalza sobre todo lo que se llama Dios, o que es objeto de culto" (2 Tesalonicenses 2:3, 4, VM).

Nota.—Una manera eficaz por la cual una potencia podría exaltarse por encima de Dios sería arrogándose el derecho de cambiar la ley de Dios, y requiriendo que se la obedeciera en su nueva forma, en lugar de obedecer la ley de Dios.

EL PAPADO RECONOCE HABERLO HECHO

¿Qué poder ha pretendido tener autoridad para cambiar la ley de Dios?

El papado.

Nota.—"El Papa tiene tanta autoridad y poder que puede modificar, explicar o interpretar aun las leyes divinas... El papa puede modificar la ley divina, siendo que su poder no es de hombre, sino de Dios, y actúa como vicegerente de Dios en la tierra" (Traducido de Lucio Ferraris, *Prompta Bibliotheca* [Biblioteca disponible]. "Papa", art. 2).

¿Qué parte de la ley de Dios ha pensado cambiar el papado?

El cuarto mandamiento.

Nota.—"Éllos [los católicos] se atribuyen el cambio del sábado al día del Señor, en contra, al parecer, del Decálogo; y no tienen otro ejemplo en sus labios que el cambio del día de reposo. Tendrán que considerar muy grande el poder de la iglesia, para reconocerle el derecho de prescindir de un precepto del Decálogo" (La confesión de Augsburgo [luterana], parte 2, art. 7, en Felipe Schaff, *The Creeds of Christendom* [Los credos de la cristiandad], Harper, tomo 3, p. 64).

"Ella [la Iglesia Católica Romana] anuló el cuarto mandamiento al quitar el sábado de la Palabra de Dios, e instituir el domingo como día de reposo" (N.

Summerbell, *History of the Christian Church* [Historia de la iglesia cristiana], año 1873, p. 415).

¿Por qué ordenó Dios a Israel que santificara el sábado?

"Por cuanto el Señor en seis días hizo el cielo, y la tierra, y el mar, y todas las cosas que hay en éllos, y descansó en el día séptimo; por ésto bendijo el Señor el día del sábado y lo santificó" (Éxodo 20:11, VA).

Nota.—Puesto que el sábado fue dado para que el hombre pudiese tener presente a Dios como Creador, puede verse fácilmente que el poder empeñado en exaltarse por encima de Dios no podría lograr esto más eficazmente que eliminando el monumento conmemorativo de Dios, el reposo del séptimo día. A esta obra del papado se refirió Daniel cuando dijo: "Pensará en cambiar los tiempos y la ley" (Daniel 7:25).

¿Reconoce el papado haber cambiado el día de reposo?

Lo reconoce.

Nota.—El Catecismo Romano fue ordenado por el Concilio de Trento y publicado por la Prensa del Vaticano, por orden del papa Pío V, en 1566. Este catecismo para sacerdotes dice: "Plugo a la iglesia de Dios, que la celebración religiosa del día sábado fuese transferida al 'día del Señor'" (*Catecismo del Concilio de Trento* [traducción de Donovan, 1867], parte 3, cap. 4, p. 345). Lo mismo, con una redacción ligeramente diferente, está en la traducción de McHugh y Callan, ed. 1937, p. 402).

"Pregunta. ¿Cómo prueba Ud. que la Iglesia tiene poder para ordenar fiestas y días de guardar?

"Respuesta.(Por el mismo hecho de haber cambiado el sábado por el domingo, cambio que los protestantes reconocen; por lo tanto de buen grado se contradicen, guardando el domingo estrictamente, y quebrantando la mayoría de las otras fiestas ordenadas por la misma iglesia" (Enrique Tuberville, *An Abridgment of the Christian Doctrine* [Un resumen de la doctrina cristiana] [aprobado en 1833], p. 58. La misma declaración se encuentra en el *Manual of Christian Doctrine* [Manual de doctrina cristiana], publicado por Daniel Ferris, ed. 1916, p. 67).

"Pregunta. ¿Tiene Ud. otra manera de probar que la Iglesia tiene autoridad para instituir fiestas de precepto?

"Respuesta. Si no tuviese tal autoridad, no hubiera podido hacer aquello en que todos los autores modernos versados en religión están de acuerdo con ella; no hubiera podido sustituir la observancia del sábado, el séptimo día, por la observancia del domingo, el primer día de la semana, cambio para el cual no hay autoridad bíblica" (Esteban Keenan, *A Doctrinal Cat-*

echism [Un catecismo doctrinal], 3ª. ed., p. 174).

"La Iglesia Católica, ... en virtud de su misión divina, cambió el día del sábado al domingo" (*The Catholic Mirror* [El espejo católico], órgano oficial del Cardenal Gibbons, 23 de septiembre, 1893).

"1. ¿Es el sábado el séptimo día de acuerdo con la Biblia y los Diez Mandamientos?

"Yo contesto sí.

"2. ¿Es el domingo el primer día de la semana, y cambió la Iglesia el séptimo día, sábado, por el domingo, el primer día?

"Yo contesto sí.

"3. ¿Cambió Cristo el día?

"Yo contesto ¡no! Fielmente vuestro, J. Card. Gibbons". (Carta autógrafa de Gibbons.)

Otra autoridad católica expresa lo siguiente:

"Pregunta. ¿Cuál es el día de reposo?

"Respuesta. El sábado es el día de reposo.

"Pregunta. ¿Por qué observamos nosotros el domingo en lugar del sábado?

"Respuesta. Observamos el domingo en lugar del sábado porque la Iglesia Católica transfirió la solemnidad del sábado al domingo" (Pedro Geiermann, *The Convert's Catechism of Catholic Doctrine* [Catecismo de doctrina católica del converso], ed.1946, p. 50. Geiermann recibió la "bendición apostólica" del papa Pío X por sus trabajos, el 25 de enero de 1910).

¿Reconocen las autoridades católicas que en la Biblia no se ordena la santificación del domingo?

Lo reconocen.

Nota.—"Podéis leer la Biblia, desde el Génesis hasta la Revelación, y no encontraréis una sola línea que autorice la santificación del domingo, las Escrituras hablan de la observancia religiosa del sábado día que jamás santificamos" (Cardenal James Gibbons, *La fe de nuestros padres*, ed. 1923, Copyright,1885, por D. Appleton & Company, pág. 98).

"En ningún lugar de la Biblia se declara que el culto debía cambiarse del sábado al domingo. El hecho es que la Iglesia había existido durante varios siglos antes que la Biblia fuera dado al mundo. La Iglesia hizo la Biblia; la Biblia no hizo a la Iglesia.

"Ahora la Iglesia ... instituyó, por autoridad de Dios, el domingo como el día de culto. Esta misma Iglesia, por la misma divina autoridad, enseñó la doctrina del purgatorio mucho antes de que fuese hecha la Biblia. Tenemos, por lo tanto, la misma autoridad para el purgatorio como para el domingo" (Martin L. Scott, *Things Catholics Are Asked About* [Preguntas acerca de asuntos católicos], ed. 1927, p. 136).

"Si consultáramos la Biblia solamente, tendríamos que santificar todavía el día de reposo, es

decir el sábado" (Juan Laux, *A Course in Religion for Catholic High Schools and Academies* [Un curso de religión para escuelas católicas de enseñanza media], tomo 1, ed. 1936, p. 51. Citado con permiso de Benziger Brothers, Inc., propietarios del *Copyright*).

"Algunos teólogos han sostenido que de alguna manera Dios determinó directamente el domingo como el día de culto del Nuevo Testamento; que él mismo ha sustituido explícitamente el sábado por el domingo. Pero esta teoría ha sido ahora enteramente abandonada. Ahora se sostiene comúnmente que Dios sencillamente dió a su Iglesia autoridad para apartar cualquier día, o días, que ella considere convenientes como días santos. La Iglesia escogió el domingo, el primer día de la semana, y en el transcurso del tiempo añadió otros días, como días santos" (Vicente J. Kelly [católico], *Forbidden Sunday and Feast-Day Occupations* [Ocupaciones prohibidas en domingo y días de fiesta], ed.1943, p. 2).

LOS PROTESTANTES RECONOCEN QUE NO HAY ORDEN BÍBLICA

¿Reconocen lo mismo algunos escritores protestantes?

Sí, lo reconocen.

Nota.—"El día del Señor era meramente una institución eclesiástica. No fue introducida en virtud del cuarto mandamiento" (Jeremias Taylor [Iglesia Anglicana], *Doctor Dubitantium*, parte I, lib.2, cap. 2, regla 6, secs. 51,59, ed. 1850, tomo 9, pp. 458,464).

"El día del Señor no se santifica por algún mandato específico o por alguna inferencia inevitable. En todo el Nuevo Testamento no hay ninguna insinuación o sugerencia de una obligación legal que comprometa a hombre alguno, sea santo o pecador, a observar el domingo, su santificación surge solamente de lo que ese día significa para el creyente verdadero" (J. J. Taylor [bautista], *The Sabbatic Question* [El problema del día de reposo], p. 72).

"Porque era necesario señalar un día determinado, para que la gente pudiera saber cuándo debía reunirse, parece que la Iglesia [cristiana] señaló para ese fin el día del Señor" (*Confesión de Augsburgo*, parte 2, art.7, en Felipe Schaff, *The Creeds of Christendom* [Los credos de la cristiandad], Harper, tomo 3, p. 69).

"¿Y dónde se nos dice en las Escrituras en absoluto que debemos guardar el primer día? Se nos ordena guardar el séptimo; pero en ninguna parte se nos ordena guardar el primer día... La razón por la cual nosotros santificamos el primer día de la semana en lugar del séptimo es la misma razón por la cual observamos muchas otras cosas, no por prescripción de la Biblia, sino de la iglesia" (Isaac Williams [anglicano], *Plain Sermons on the Cathechism* [Sermones sencillos sobre el catecismo], tomo1, pp. 334, 336).

UN CAMBIO GRADUAL

¿Cómo se produjo este cambio del día de observar?

La observancia se transfirió gradualmente.

Nota.—"La Iglesia cristiana no hizo una transferencia formal de un día al otro, sino una gradual y casi inconsciente" (F. W. Farrar, *The Voice From Sinai* [La voz desde el Sinaí], p. 167). Ésto es en sí mismo evidencia de que no hubo una orden divina de cambiar el día de reposo.

¿Por cuánto tiempo se observó el sábado en la iglesia cristiana?

Nota.—El Sr. Morer, clérigo erudito de la Iglesia Anglicana, dice: "Los primeros cristianos tenían una gran veneración por el sábado, y dedicaban el día a la devoción y a los sermones. Y no hay duda de que ellos derivaron de los apóstoles mismos esta práctica" (*A Discourse in Six Dialogues on the Name, Notion, and Observation of the Lord's Day* [Un discurso en seis diálogos en cuanto al nombre, la idea y la observancia del día del Señor], p. 189). "Una historia del problema muestra que en algunos lugares realmente sólo después de algunas centurias el descanso del sábado fue abolido completamente, y para entonces la práctica de descansar físicamente en el domingo había tomado su lugar" (Vicente J. Kelly, *Forbidden Sunday and Feast-Day Occupations* [Ocupaciones prohibidas en domingo y días de fiesta], p. 15).

Lyman Coleman dice: 'Aún en el siglo quinto se practicaba en la Iglesia cristiana la observancia del sábado judío, pero con un rigor y solemnidad [que iban] en gradual disminución hasta su total abandono" (*Ancient Christianity Exemplified* [El cristianismo antiguo ejemplificado], cap. 26, sec. 2). El historiador eclesiástico Sócrates, que escribió en el siglo V, dice: "Casi todas las iglesias a través del mundo celebran los sagrados misterios en el día sábado de cada semana, sin embargo los cristianos de Alejandría y Roma, a causa de cierta tradición antigua, han dejado de hacer ésto" (*Ecclesiastical History*, libro 5, cap. 22, en *A Select Library of Nicene and Post-Nicene Fathers* [Una biblioteca selecta de padres nicenos y post-nicenos], segunda serie, tomo 2, p. 132].

Sozómeno, historiador del mismo período, escribe: "La gente de Constantinopla, y de casi todo lugar, se reúne en el sábado, tanto como en el primer día de la semana, costumbre que nunca se observa en Roma o en Alejandría" [*Ecclesiastical History*, libro 7, cap. 19, en el mismo tomo citado más arriba). Todo ésto sería inconcebible si se hubiese dado una orden divina de cambiar el día de reposo. Las últimas dos citas muestran también que Roma encabezó la apostasía y el cambio del sábado.

LA OBSERVANCIA DEL DOMINGO

¿Cómo se observaba originalmente el domingo?

Como una celebración voluntaria de la resurrección, una costumbre sin pretensión de autoridad divina.

Nota.—"La oposición al judaísmo introdujo muy temprano la festividad particular del domingo en lugar de la del sábado." La festividad del domingo como otras festividades, era siempre solamente una ordenanza humana, y estaba lejos de la intención de los apóstoles establecer un mandamiento divino al respecto, lejos de ellos y de la iglesia apostólica al transferir las leyes del sábado al domingo. Quizás, al final del segundo siglo había comenzado a producirse una aplicación falsa de esta clase; pues entonces parecía que los hombres consideraban un pecado trabajar el domingo" (Augusto Neander, *The History of the Christian Religion and Church* [La historia de la religión y de la iglesia cristiana]. Traducción de Rose de la primera edición en alemán. p. 186).

"La observancia del domingo era al principio adicional a la del sábado, pero en la proporción en que el abismo entre la Iglesia y la Sinagoga se ensanchaba, el sábado llegaba a ser menos y menos importante, y terminó a la larga por ser enteramente descuidado" (L. Duchesne, *Christian Worship: Its Origin and Evolution* [El culto cristiano: su origen y evolución] . Traducido de la cuarta edición francesa por M. L. McClure, Londres, 1910, p. 47).

¿Quién ordenó primeramente por ley la observancia del domingo?

Constantino el Grande.

Nota.—"(1) Que el domingo no era considerado al principio como un día de descanso físico; ni se establecía ninguna analogía entre el sábado judío y el domingo cristiano, excepto como días de culto...

"(3) La observancia del descanso dominical surgió de la costumbre del pueblo y de la constitución de la Iglesia...

"(5) Tertuliano fue probablemente el que se refirió a la cesación de las actividades mundanas en el domingo; el Concilio de Laodicea expidió la primera legislación conciliar sobre ese día; Constantino I expidió la primera legislación civil; San Martín de Braga fue probablemente el que usó los términos 'trabajo servil' con su actual sentido teológico" (Vicente J. Kelly, *Forbidden Sunday and Feast-Day Occupations* [Ocupaciones prohibidas en domingo y dias de fiesta], p. 203).

El primer reconocimiento de la observancia del domingo como un deber legal es una ley de Constantino del 321 d.C., que exigía que todos los jueces, habitantes de las ciudades, y los artesanos debían descansar en el (*venerabili die solis*), a excepción de los que estuviesen ocupados en asuntos agrícolas" (*Encyclopaedia Britannica*, ed.11ª, art. "Sunday" [Domingo].

"Descansen, en el venerable Día del Sol, los jueces y los habitantes de las ciudades, y ciérrense todos los talleres. En el campo, sin embargo, las personas ocupadas en la agricultura pueden continuar libre y legalmente sus actividades; porque sucede a menudo que otro día no es tan conveniente para la siembra del grano o para la plantación de la vid; no sea que por descuidar el momento apropiado para dicha actividad se pierda la dadivosidad del cielo. (Dada el 7 de marzo siendo Crispo y Constantino cónsules ambos por segunda vez)" (*Codex Justinianus* [Código de Justiniano], libro 3, título 12,3).

Este edicto, publicado por Constantino, quien fue el primero en preparar el camino para la unión de la Iglesia y el Estado en el Imperio Romano, suplió en cierta manera la falta de un mandato divino para la observancia del domingo. Fue un paso importante en iniciar y establecer el cambio del día de reposo.

¿Qué testifica Eusebio sobre este asunto?

"Todas las cosas que se debían hacer en el sábado, nosotros [la iglesia] las hemos transferido al día del Señor" (traducido de Eusebio, *Commentary on the Psalms* [Comentario sobre los Salmos], en Migne, *Patrologia Graeca*, tomo 23, cols. 1.171, 1.172).

¿En qué concilio de la iglesia se prohibió la observancia del séptimo día y se ordenó la observancia del domingo?

En el Concilio de Laodicea, Asia Menor, en el siglo IV.

Nota.—El Canon 29 dice: "Los cristianos no judaizarán y estarán ociosos el sábado, sino que trabajarán en ese día; pero honrarán especialmente el día del Señor, y, siendo cristianos, no trabajarán, en lo posible, en ese día. Si, de cualquier modo, se los hallare judaizando, serán excluidos [anatema] de Cristo" (Carlos José Hefele, *A History of the Councils of the Church* [Una historia de los concilios de la iglesia], tomo 2, ed. inglesa 1896, p. 316). El puritano William

Prynne dijo (1655) que "el Concilio de Laodicea fue el primero en instituir la observancia del día del Señor, y prohíbe la observancia del sábado judío bajo anatema" (*A Briefe Polemical Dissertation Concerning... the Lords day-Sabbath* [Una breve disertación polémica concerniente... al día de reposo del Señor], p. 44).

Lo que se hizo en el Concilio de Laodicea no fue sino uno de los pasos por los cuales se efectuó el cambio del día de reposo. Se lo mira atrás como el primer concilio de la iglesia que prohibió la observancia del sábado y ordenó el descanso dominical en lo posible, pero no era tan estricto como lo fueron otros decretos posteriores. Distintos escritores le asignan a este Concilio de Laodicea fechas contradictorias. No se conoce la fecha exacta. pero puede ubicárselo "en forma general en algún tiempo entre los años 343 y 381" (Hefele, *Op. cit.,* t. 2, p. 298).

¿Qué dicen los católicos de los protestantes que observan el domingo?

Que ellos obedecen la autoridad de la Iglesia Católica.

Nota.—"Durante siglos todas las naciones cristianas miraban a la Iglesia Católica, y, como hemos visto, los diversos estados impusieron por ley los reglamentos de ella al culto y a la cesación del trabajo en el domingo. El protestantismo, al descartar la autoridad de la iglesia, deja sin buena razón su teoría sobre el domingo, y debe lógicamente guardar el sábado como día de reposo.

"El Estado, al aprobar leyes que dispongan la debida santificación del domingo reconoce inconscientemente la autoridad de la Iglesia Católica, y cumple más o menos fielmente sus prescripciones.

"El domingo, como día semanal apartado para el culto público obligatorio del Dios Todopoderoso, para ser santificado por la suspensión de los trabajos serviles, los negocios, y las diversiones mundanas, y para el ejercicio de la devoción, es puramente una creación de la Iglesia Católica" (*The American Catholic Quarterly Review* [La revista trimestral católica americana], enero, 1883, pp. 152,139).

"Si los protestantes siguieran la Biblia, adorarían a Dios en el día sábado. Al guardar el domingo siguen una ley de la Iglesia Católica" (Alberto Smith, Canciller de la Arquidiócesis de Baltimore, en respuesta al Cardenal en una carte del 10 de febrero, 1920.

LA ELECCIÓN DEL SERVICIO Y DEL CULTO

¿Qué determina de quién somos siervos o esclavos?

"¿No sabéis que si os sometéis a alguien como,

esclavos para obedecerle, sois esclavos de aquel a quien obedecéis?" (Romanos 6:16).

Cuando se le pidió que se postrara ante Satanás, ¿qué contestó Cristo?

"Escrito está: Al Señor tu Dios adorarás, y a él sólo servirás" (S. Mateo 4:10).

¿Cómo califica el Salvador el culto que no está de acuerdo con los mandamientos de Dios?

"En vano me rinden culto, enseñando doctrinas que son preceptos de los hombres" (S. Mateo 15:9, VM).

¿Qué llamamiento hizo Elías al apóstata Israel?

"¿Hasta cuándo claudicaréis vosotros entre dos pensamientos? Si Jehová es Dios, seguidle; y si Baal, id en pos de él" (1 Reyes 18:21).

Nota.—En tiempos de ignorancia Dios tolera lo que en otras condiciones sería pecado; pero cuando llega la luz del conocimiento, él manda a los hombres en todo lugar que se arrepientan (Hechos 17:30); la luz verdadera acerca del sábado está brillando ahora, y Dios envía un mensaje al mundo que llama a los hombres a temerle y adorarlo, y volver a la observancia de su santo día de reposo, el reposo del séptimo día (Apocalipsis 14:6-12).

CAPÍTULO 13

La Eterna Gracia de Dios

EL PROPÓSITO DE LA LEY

¿Cuál es el propósito de la ley?
"Ya que por las obras de la ley ningún ser humano será justificado delante de él; porque *por medio de la ley es el conocimiento del pecado*" (Romanos 3:20).

¿Cuán exigente es Dios respecto a la conducta del cristiano?
"Porque cualquiera que guardare toda la ley, pero ofendiere en un punto, se hace culpable de todos" (Santiago 2:10).

CRISTO SALVA AL HOMBRE Y MAGNIFICA LA LEY

¿Qué se declara que es el Evangelio?
"Porque no me avergüenzo del evangelio, *porque es poder de Dios para salvación a todo aquel que cree*" (Romanos 1:16).

¿Qué significa el nombre Jesús?
"Y llamarás su nombre JESÚS, porque *él salvará a su pueblo de sus pecados*" (S. Mateo 1:21).

¿En quién se revela este poder para salvar del pecado?
"Nosotros predicamos... un *Cristo que es potencia de Dios*, y sabiduría de Dios" (1 Corintios 1:23, 24, VHA).

¿Cómo fue predicha la actitud de Cristo hacia la ley?
"Está escrito de mí; el hacer tu voluntad, Dios mío, me ha agradado, y tu ley está en medio de mi corazón" (Salmo 40:7, 8).

¿Qué promete Cristo en relación con el nuevo pacto?
"Pero ahora tanto mayor ministerio es el suyo, cuanto es mediador de un mejor pacto, establecido sobre mejores promesas". "Por lo cual, este es el pacto que haré con la casa de Israel después de aquellos días, dice el Señor: *Pondré mis leyes en la mente de ellos, y sobre su corazón las escribiré*" (Hebreos 8:6,10).

¿Qué debemos hacer nosotros a fin de beneficiarnos por la obra de Cristo?
"Porque *con el corazón se cree* para justicia; mas con la boca *se hace confesión* para salvación" (Romanos 10:10, VHA).

¿Para obtener qué cosa confiaba el apóstol Pablo en Cristo?
"Y ciertamente, aun estimo todas las cosas como pérdida por... ser hallado en él, no teniendo mi propia justicia, que es por la ley, sino la que es por la fe de Cristo, *la justicia que es de Dios por la fe*" (Filipenses 3:8, 9).

¿Se invalida la ley por la fe que confiere justicia?
"¿Luego por la fe invalidamos la ley? En ninguna manera, sino que *confirmamos* la ley" (Romanos 3:31).

Nota.—En el Evangelio, la ley, escrita primeramente en el corazón de Cristo, es transferida al corazón del creyente, donde mora Cristo por la fe. Así se cumple la promesa del nuevo pacto. Esta es la justicia por la fe, una justicia que es testificada por la ley y se revela en la vida que está en armonía con la ley. Tal fe, en lugar de anular la ley, la establece en el corazón del creyente.

"La ley demanda obediencia, pero no puede producirla; es santa, pero no puede hacernos santos a nosotros; convence de pecado, pero no puede curarlo; revela la enfermedad, pero no proporciona el remedio; mientras que el Evangelio requiere y capacita, salva y santifica (Romanos 3:19-22; 4:15; 5:20, 21; 7:7-13;

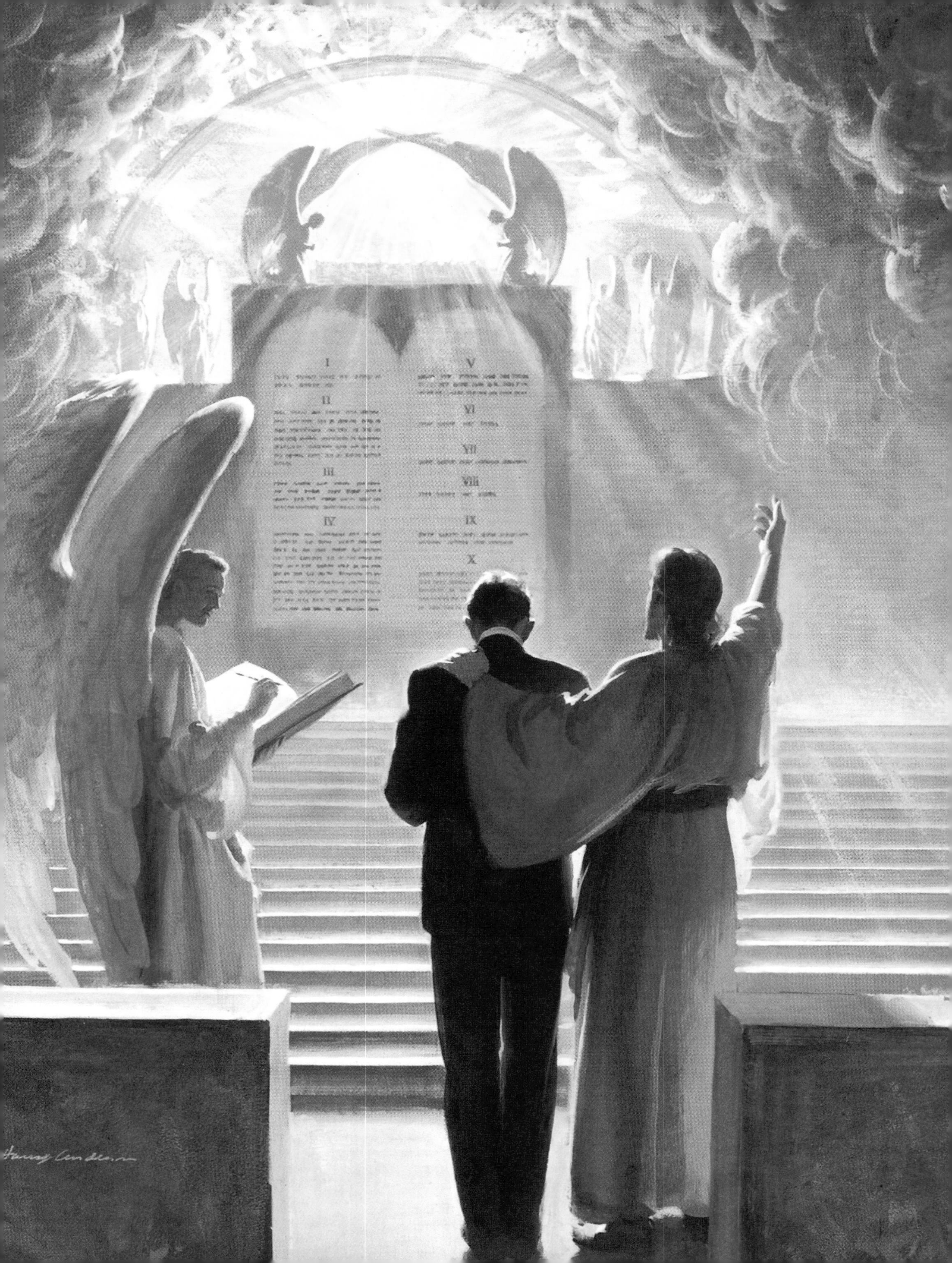
I
II
III
IV
V
VI
VII
VIII
IX
X

2 Corintios 3:7-9; Gálatas 3:21-24; 1 Timoteo 1:8-11)...

"Mientras que está en la misma naturaleza de toda ley el provocar oposición a ella, a causa de nuestras díscolas mentes y voluntariosos corazones, es la esencia del Evangelio apelar a los dos motivos más poderosos que actúan en los hombres y mujeres: la gratitud y el amor (contrástese Romanos 7:5, 7-11 con 6:1-15 y 2 Corintios 5:14, 15).

"El Evangelio nos muestra al Salvador que necesitamos, y declara que él ha obedecido plenamente los preceptos de la ley en su vida inmaculada como nuestro gran representante, tanto como ha sufrido exhaustivamente sus penalidades en su muerte expiatoria como nuestro gran sustituto (2 Corintios 5:21)... ¡La justicia y la rectitud divinas han sido vindicadas más enteramente mediante su obra a favor de los hombres de lo que pudieran haberlo sido por la obediencia y el sufrimiento de toda la raza humana!

"Es la meta tanto de la ley como del Evangelio lograr la obediencia, pero la ley nos compele a hacerlo como un deber, fastidioso y desagradable, mientras que el Evangelio nos constriñe a hacerlo como un privilegio, tornándolo fácil y delicioso. La ley coloca ante nosotros la obediencia como un medio de salvación, y condiciona estrictamente a ella la bendición. El Evangelio la revela como la consecuencia natural de la redención, y prescribe la obediencia como el resultado inevitable de la bendición" (William C. Procter, *Moody Bible Institute Monthly*. Derecho de propiedad, noviembre de 1933, pp. 107,108. Usado con permiso).

¿Qué quita Cristo?

"He aquí el Cordero de Dios, que quita *el pecado del mundo*" (S. Juan 1:29).

¿Qué ha abolido Cristo?

"Cristo Jesús, ... *ha abolido la muerte*, y ha sacado a luz la vida y la inmortalidad por medio del evangelio" (2 Timoteo 1:10, VM).

Nota.—"El hombre... necesita que se le recuerde solemnemente que la ley del espíritu de vida en Cristo lo ha librado de la ley del pecado y de la muerte, pero no de la ley de Dios" (G. Campbell Morgan, *The Ten Commandments* [Los Diez Mandamientos], Revell, ed. 1901, p. 12).

¿Qué transformación se realiza mediante el Evangelio?

"Por tanto, nosotros todos, mirando a cara descubierta como en un espejo la gloria del Señor *somos transformados de gloria en gloria en la misma imagen*, como por el Espíritu del Señor (2 Corintios 3:18).

Nota.—A veces se sostiene que Cristo cambió, abolió o quitó la ley moral y puso el Evangelio en su lugar; pero esto revela falta de comprensión de la obra real de Cristo. El creyente, en forma individual, es transformado por la contemplación de la gloria revelada en el Evangelio (2 Corintios 4:4; S. Juan 1:14); la muerte ha sido abolida por la muerte de Cristo; y el pecado ha sido quitado por Aquel que cargó con el pecado; pero la ley de Dios todavía permanece inalterable como el mismo fundamento de su trono.

¿Qué interpretación espiritual dio Cristo a los mandamientos sexto y séptimo?

"Oísteis que fue dicho a los antiguos: No matarás; y cualquiera que matare será culpable de juicio. Pero yo os digo que *cualquiera que se enoje contra su hermano*, será culpable de juicio" (S. Mateo 5:21, 22). "Oísteis que fue dicho: No cometerás adulterio. Pero yo os digo que *cualquiera que mira a una mujer para codiciarla, ya adulteró con ella en su corazón*" (vers. 27, 28).

¿De qué profecía fue esta enseñanza el cumplimiento?

"Jehová se complació por amor de su justicia en *magnificar la ley y engrandecerla*" (Isaías 42:21).

Nota.—Cristo no sólo dio a la ley una interpretación espiritual, y la observó de esa manera, sino que mostró la santidad y la naturaleza inmutable de la ley, al morir en la cruz para pagar la penalidad de su transgresión. Por este medio, más que por ningún otro, magnificó la ley.

LA GRACIA Y LA LEY

¿En qué promesa se le predijo el Evangelio a Abrahán?

"Y la Escritura,... predicó de antemano el *evangelio* a Abraham, diciendo: *En ti serán bendecidas todas las naciones*" (Gálatas 3:8, VM).

¿Qué actitud de Abrahán se le contó por justicia?

"Porque ¿qué dice la Escritura? *Creyó Abraham a Dios, y le fue contado por justicia*" (Romanos 4:3).

¿Qué declaración de las Escrituras elimina toda esperanza de justificación por las obras?

"*Por las obras de la ley* ningún *ser humano será justificado delante de él*; porque por medio de la ley es el conocimiento del pecado" (Romanos 3:20).

¿De qué manera son justificados los creyentes en Jesús?

"Siendo justificados *gratuitamente por su gracia*, mediante la redención que es en Cristo Jesús" (vers. 24).

¿Se espera que el creyente continúe pecando después de esto?

"¿Qué, pues, diremos? ¿Perseveraremos en el pecado para que la gracia abunde? En ninguna manera. Porque los que hemos muerto al pecado, ¿cómo viviremos aún en él?" (Romanos 6:1, 2).

¿Cuál era la actitud personal de Cristo hacia la ley?

"No penséis que he venido para abrogar la ley o los profetas; no he venido para abrogar, sino para cumplir" (S. Mateo 5:17). "Si guardareis mis mandamientos, permaneceréis en mi amor; así como yo he guardado los mandamientos de mi Padre, y permanezco en su amor" (S. Juan 15:10).

¿Qué declaración bíblica muestra que el pueblo remanente de Dios comprenderá la correcta relación entre la Ley y el Evangelio?

"Aquí está la paciencia de los santos, los que guardan los mandamientos de Dios y la fe de Jesús" (Apocalipsis 14:12).

Nota.—"Dios no ha dejado a los hombres entrampados en su propia desobediencia. Él ha provisto un medio de restauración. Este no consiste en rebajar la norma celestial al nivel de nuestras culpas y debilidades, sino en elevar a los hombres al nivel de su eterna norma de santidad. Esta restauración es restauración al estado de la obediencia a la ley. "La expiación de Jesucristo mantiene una eterna relación con la ley de Dios, la ley que es santa, justa y buena. [Al ser el creyente] librado por la obra de Cristo de la penalidad de una ley quebrantada, y al dársele un nuevo corazón por el Espíritu Santo, por el cual él ama el camino de la obediencia que una vez rehuía, se ven la Ley y el Evangelio obrando en gloriosa armonía en beneficio del hombre redimido. Lograr esto es el gran propósito de la proclamación del Evangelio" (O. C. S. Wallace, *What Baptists Believe*, pp. 83, 84. Derecho de propiedad, 1934, de la Junta de la Escuela Dominical de la Convención Bautista del Sur. Usado con permiso).

El Bautismo

CREENCIA, ARREPENTIMIENTO Y BAUTISMO

¿Qué ceremonia tiene estrecha relación con la aceptación del Evangelio?

"Y les dijo: Id por todo el mundo y predicad el evangelio a toda criatura. El que creyere *y fuere bautizado,* será salvo; mas el que no creyere, será condenado" (S. Marcos 16:15,16).

¿Qué cosa vinculó el apóstol Pedro con el bautismo, en su instrucción el día de Pentecostés?

"Pedro les dijo: *Arrepentíos,* y bautícese cada uno de vosotros en el nombre de Jesucristo para perdón de los pecados" (Hechos 2:38).

En respuesta a su pregunta en cuanto a la salvación, ¿qué se le dijo al carcelero de Filipos que hiciera?

"Ellos dijeron: *Cree en el Señor Jesucristo,* y serás salvo, tú y tu casa" (Hechos 16:31).

¿Qué siguió inmediatamente a la aceptación de Cristo como su Salvador por parte del carcelero y su familia?

"Y él, tomándolos [a Pablo y Silas] en aquella misma hora de la noche, les lavó las heridas; y enseguida *se bautizó* él con todos los suyos" (vers. 33).

EL SIGNIFICADO ESPIRITUAL DEL BAUTISMO

En relación con el bautismo cristiano, ¿qué lavamiento experimenta el creyente?

"Ahora, pues, ¿por qué te detienes? Levántate y bautízate, y *lava tus pecados,* invocando su nombre" (Hechos 22:16. Véase Tito 3:5; 1 S. Pedro 3:21).

¿Con qué son lavados los pecados?

"Al que nos amó, y nos lavó de nuestros *pecados con su sangre*" (Apocalipsis 1:5).

LA UNIÓN CON CRISTO EN EL BAUTISMO

¿En qué nombres son bautizados los creyentes?

"Por tanto, id, y haced discípulos a todas las naciones, bautizándolos en el nombre *del Padre y del Hijo, y del Espíritu Santo*" (S. Mateo 28:19).

Cuando los creyentes se bautizan en el nombre de Cristo, ¿de quién se revisten?

"Porque todos los que habéis sido bautizados en Cristo, *de Cristo estáis revestidos*" (Gálatas 3:27).

¿En qué son bautizados los que han sido bautizados en Cristo?

¿O no sabéis que todos los que hemos sido bautizados en Cristo Jesús, hemos sido bautizados en su muerte?" (Romanos 6:3).

Nota.—El bautismo es una ceremonia evangélica que conmemora la muerte, sepultura y resurrección de Cristo. Por el bautismo se da un testimonio público de que quien se bautiza ha sido crucificado con Cristo, sepultado con él y que se levanta con él para vivir una vida nueva. Solamente una forma de bautismo puede representar debidamente estos hechos de la experiencia, el bautismo por inmersión: La forma seguida por Cristo y la iglesia apostólica.

¿Cómo se describe este bautismo?

"Porque somos sepultados juntamente con él para muerte por el bautismo, a fin de que como Cristo resucitó de los muertos por la gloria del Padre, así también nosotros andemos en vida nueva" (vers. 4).

¿Cuán plenamente estamos unidos así con Cristo en su muerte y resurrección?

"Y si morimos con Cristo, creemos que también viviremos con él" (vers. 8).

¿En qué manifestación del poder de Dios ha de ejercerse la fe en relación con el bautismo?

"Sepultados con él en el bautismo, en el cual fuisteis también resucitados con él, mediante la fe en el poder de Dios que le levantó de los muertos" (Colosenses 2:12).

EL BAUTISMO Y EL ESPÍRITU SANTO

Al comenzar su ministerio, ¿qué ejemplo sentó Jesús para beneficio de sus seguidores?

"Entonces Jesús vino de Galilea a Juan al Jordán, para ser bautizado por él" (S. Mateo 3:13).

¿Qué hechos notables acompañaron el bautismo de Jesús?

"Y Jesús, después que fue bautizado, subió luego del agua; y he aquí los cielos le fueron abiertos, y vio al Espíritu de Dios que descendía como paloma, y venía sobre él. Y hubo una voz de los cielos, que decía: Este es mi Hijo amado, en quien tengo complacencia" (vers. 16, 17).

¿Qué promesa se hace a los que se arrepienten y se bautizan?

"Pedro les dijo: Arrepentíos, y bautícese cada uno de vosotros en el nombre de Jesucristo para perdón de los pecados; y recibiréis el don del Espíritu Santo" (Hechos 2:38).

¿Qué instrucción dio el apóstol Pedro concerniente a los gentiles que habían creído?

"¿Puede acaso alguno impedir el agua, para que no sean bautizados estos que han recibido el Espíritu Santo también como nosotros? Y mandó bautizarles en el nombre del Señor Jesús" (Hechos 10:47, 48).

FELIPE BAUTIZA A UN ETÍOPE Y A SAMARITANOS

¿Qué pregunta hizo el eunuco después que Felipe le hubo predicado a Cristo?

"Y yendo por el camino, llegaron a cierta agua, y dijo el eunuco: Aquí hay agua; ¿qué impide que yo sea bautizado?" (Hechos 8:36).

"Y mandó parar el carro; y descendieron ambos al agua, Felipe y el eunuco, y le bautizó" (vers. 38).

¿Cómo el pueblo de Samaria daba testimonio públicamente de su fe en la predicación de Felipe?

"Pero cuando creyeron a Felipe, que anunciaba el evangelio del reino de Dios y el nombre de Jesucristo, se bautizaban hombres y mujeres" (vers. 12).

UNIDAD Y PROPÓSITOS CELESTIALES

¿Cuán perfecta es la unidad que gozan los creyentes al ser bautizados en Cristo?

"Porque así como el cuerpo es uno, y tiene muchos miembros, pero todos los miembros del cuerpo, siendo muchos, son un solo cuerpo, así también Cristo. Porque por un solo Espíritu fuimos todos bautizados en un cuerpo, sean judíos o griegos, sean esclavos o libres; y a todos se nos dio a beber de un mismo Espíritu" (1 Corintios 12:12, 13).

Después de identificarse con Cristo en su muerte y resurrección, ¿qué deberían hacer los creyentes?

"Si, pues, habéis resucitado con Cristo, buscad las cosas de arriba, donde está Cristo sentado a la diestra de Dios" (Colosenses 3:1).

CAPÍTULO 15

La
Muerte

¿De qué fue formado el hombre en el principio?

"Dios formó al hombre del *polvo de la tierra*" (Génesis 2:7).

¿Qué acto lo convirtió en un ser viviente?

"*Y sopló* [Dios] *en su nariz aliento de vida, y* fue el hombre un ser viviente" (Génesis 2:7. ú.p.).

Nota.—La Biblia de Jerusalén dice: "insufló en sus narices aliento de vida, y resultó el hombre un ser viviente". La Versión Moderna traduce "vino a ser alma viviente" y la Nácar-Colunga reza: "y fue así el hombre ser animado". El alma viviente no fue puesta en el hombre, sino que el aliento o soplo de vida fue puesto en el hombre, y lo convirtió en un alma o ser viviente.

Las palabras hebreas traducidas en este texto como "alma viviente" son *néfesh jayyah*. Esta expresión aparece siete veces en el original hebreo de las Escrituras—, por ejemplo se la usa en Génesis 1:24, donde se la traduce como "seres vivientes", lo que confirma lo dicho en el párrafo anterior.

La palabra *néfesh* aparece 755 veces en el Antiguo Testamento en hebreo, y se la ha traducido con diverso significado según el caso. Mencionaremos a continuación las principales formas como dicho vocablo se ha traducido en la versión Reina-Valera 1960, según una cuidadosa investigación:

362 veces como "alma". Por ejemplo, en Génesis 12:13. Números 16:38, Salmo 6:3, Isaías 1:14-, Ezequiel 3:19.

143 veces como "vida". Por ejemplo, en Génesis 19:20, Job 27:8. Salmo 35:4, Ezequiel 14:14.

68 veces como "persona". Por ejemplo. En Génesis 12:S. Levítico 5:15, Números 19:13.

12 veces como "ser (animal, cosa) viviente". Por ejemplo, en Génesis 2:7; Levítico 11:46

12 veces como "muerte", "muerto", "cadáver". Por ejemplo, en Levítico 21:1.

10 veces como "ánimo". Por ejemplo, en 1 Crónicas 22:19-, Proverbios 28:25.

7 veces como "voluntad". Por ejemplo, en Génesis 23:8. Jeremías 15:1.

3 veces como "corazón". Por ejemplo, en 2 Samuel 3:21 -, Proverbios 23:7.

2 veces como "apetito". Por ejemplo, en Proverbios 6:30.

2 veces cono "deseo". Por ejemplo, en Eclesiastés 6:7.

Un análisis de los diversos usos de *néfesh* en el Antiguo Testamento revela que dicho vocablo se refiere más al ser humano como tal que a una parte constitutiva del mismo. Por lo tanto, sería más correcto decir que el hombre es un *néfesh* o "alma", como declara la Biblia, en lugar de afirmar que tiene un *néfesh* o "alma", como sostienen algunos. En verdad, las expresiones "mi alma", "tu alma", "su alma", etc. ocurren frecuentemente, pero en la mayoría de los casos son simples expresiones idiomáticas que significan "yo", "tú", "él", etc. Los traductores, reconociendo este hecho, han usado a veces el pronombre personal, como ocurre, por ejemplo, en Salmo 35:25. En otros casos *néfesh* significa "vida", y este significado se expresa claramente en la traducción al español (véase 2 Samuel 1:9, Jeremías 4:30, y otros pasajes semejantes).

En el Nuevo Testamento la palabra traducida "alma" proviene en casi todos los casos del término griego *psujé*. Esta es la palabra que en la Septuaginta, la traducción al griego del Antiguo Testamento en hebreo, corresponde a la palabra hebrea *néfesh*. Los escritores del Nuevo Testamento parecen haber usado *psujé* como el equivalente de *néfesh*. Ellos no atribuían a *psujé* el concepto griego pagano de la presunta parte inmortal del hombre en oposición a su cuerpo o parte perecedera.

El vocablo *psujé* figura 102 veces en el Nuevo Testamento en griego, y estas son las principales formas como se lo ha traducido en la versión Reina-Valera 1960 de la Biblia:

48 veces como "alma".

36 veces como "vida". Por ejemplo: S. Mateo 6:25, S. Marcos 3:4, S. Juan 10:11, Hechos 15:26; 1 S. Juan 3:16.

7 veces como "persona". Por ejemplo: Hechos 2:43, 27:10; 1 S. Pedro 3:2.

3 veces como "ánimo". Por ejemplo: Hechos 14:2, 22.

3 veces como "ser viviente". Por ejemplo: Apocalipsis 8:9,16:3.

¿Tienen otros seres, además del hombre, "aliento de vida"?

"Y murió toda carne que se movía sobre la tierra, así de *ave* como de *bestia*, y de *fiera*, y de *todo reptil que se arrastra sobre la tierra*, y todo hombre. Todo la que *tenía en sus narices soplo de aliento de vida*, de cuanto había en la tierra seca murió" (Génesis 7:21, 22 VM).

Cuando el hombre lo entrega, ¿qué sucede con ese espíritu o aliento de vida?

"Y el polvo vuelva a la tierra, como era, y el espíritu vuelva a Dios que lo dio" (Eclesiastés 12:7)

Nota.—La palabra traducida "aliento" es *rúaj,* que, en el léxico de Gesenio, se la define así: "*Rúaj*: (1) Espíritu, aliento. (a) Aliento de la boca... De ahí que se aplica al espíritu vital... (b) Soplo de la nariz, bufido, resoplido... Esto es, cólera... (e) Soplo de aire, en movimiento, es decir brisa...

"(2) *Psujé*: ánima, aliento, vida, el principio vital, que se manifiesta en el aliento de la boca y de la nariz (véase Nº. 1, a, b), de los hombres y de los animales (Eclesiastés 3:21. 8:8.12:7)...

"(3) La mente o el espíritu racional. (a) Como el asiento de los sentidos, afectos, y emociones de diversas clases... (b) Como el modo de pensar y actuar... (e) De la voluntad y la determinación... Más raramente (d) se aplica al intelecto...

"(4) El Espíritu de Dios".—Traducción de Tregelles, ed. 1875.

La palabra *espíritu* en el Antiguo Testamento viene siempre del original *rúaj*, salvo en dos casos (Job 26:4; y Proverbios 29:27, cuyo original es *neshamah*). *Rúaj*, que además de traducirse la mayor parte de las veces como "espíritu", se traduce también:

Casi cien veces como "viento" (en el Antiguo Testamento siempre viento es traducción de *rúaj).*

Como "aliento", o "aliento de vida". Por ejemplo, según la Versión Moderna, Génesis 6:17; 7:15, 22; Salmo 104:29; Eclesiastés 3:19.

Como "mente". Ezequiel 11:5; 20:32. VM.

Como "ira". Proverbios 29:11.

Como "soplo". Éxodo 15:8.

Como "resoplido". Isaías 25:4. VM

También se la traduce una o más veces como: "aire", "tempestad", "vaho".

En ocasión de la muerte, el espíritu vuelve al gran Dador de la vida. Habiendo venido de él, pertenece a Dios, y el hombre puede tenerlo eternamente sólo como un don de Dios, por medio de Jesucristo (Romanos 6:23). Cuando el espíritu vuelve a Dios, el polvo del cual fue formado el cuerpo del hombre vuelve a la tierra, *como era,* y el individuo no existe más como ser viviente, consciente y pensante.

"Nuestra identidad personal quedará conservada en la resurrección, aunque no sean las mismas partículas de materia ni la misma sustancia material que fue a la tumba. Las maravillosas obras de Dios son un misterio para el hombre. El espíritu, el carácter del hombre, vuelve a Dios, para ser preservado allí. En la resurrección cada hombre tendrá su propio carácter. A su debido tiempo Dios llamará a los muertos dándoles de nuevo el aliento de vida, y ordenando a los huesos secos que vivan. Saldrá la misma forma, pero estará liberada de enfermedades y de todo defecto. Vive otra vez con los mismos rasgos individuales, de modo que el amigo reconocerá al amigo. No hay una ley de Dios en la naturaleza que muestre que Dios devolverá las mismas idénticas partículas de la materia que componían el cuerpo antes de la muerte. Dios dará a los muertos justos un cuerpo que será del agrado de él" (Elena G. de White, *Comentario bíblico adventista,* pp. 1092, 1093).

DE LA IRA Y LA MUERTE A LA VIDA

¿Solamente quién tiene vida eterna?

"El que tiene al Hijo, tiene la vida; el que no tiene al Hijo de Dios no tiene la vida" (1 S. Juan 5:12).

Nota.—El pecador tiene esta vida temporal; pero cuando la pierde no tiene perspectiva o promesa de vida eterna. Esta puede recibirse solamente por medio de Cristo.

¿Por qué se los expulsó a Adán y a Eva del Edén y del árbol de la vida?

"Ahora pues, no sea que extienda la mano y tome también del árbol de la vida, y coma y viva *para siempre"* (Génesis 3:22, VM).

¿Qué se hizo para impedirle al hombre el acceso al árbol de la vida?

"Echó, pues, [Jehová Dios] fuera al hombre, y puso al oriente del huerto de Edén querubines, y una espada encendida que se revolvía por todos lados, para guardar el camino del árbol de la vida" (vers. 24).

¿Cómo se considera a todos los hombres en su estado natural?

"Todos nosotros... éramos por naturaleza *hijos de ira,* lo mismo que los demás" (Efesios 2:3).

Si la ira de Dios permanece sobre nosotros, ¿de qué estamos privados?

"El que no obedece al Hijo, no verá la vida, sino que la ira de Dios permanece sobre él" (S. Juan 3:36, VM).

¿Por quién podemos ser salvados de la ira y dotados de inmortalidad?

"Pues mucho más, estando ya justificados en su sangre, *por él* seremos salvos de la ira" (Romanos 5:9). "La gracia... ahora ha sido manifestada por la aparición de *nuestro Salvador Jesucristo, el cual quitó la muerte y sacó a luz la vida y la inmortalidad por* el Evangelio" (2 Timoteo 1:9, 10).

¿Solamente quién posee inmortalidad inherente?

"El bienaventurado y solo Soberano, Rey de reyes, y Señor de señores, *el único que tiene inmortalidad*" (1 Timoteo 6:15, 16).

Nota.—Dios es el único ser que posee vida e inmortalidad originales (véase S. Juan 5:26; 6:27; 10:10, 27, 28; Romanos 6:23-, 1 S. Juan 5:11)

¿A quiénes se promete vida eterna?

"Vida eterna a los que, perseverando en bien hacer, *buscan gloria y honra e inmortalidad*" (Romanos 2:7)

Nota.—Nadie necesita buscar una cosa que ya posee. El hecho de que debamos buscar la inmortalidad es prueba de que no la poseemos.

¿Cuándo serán los fieles transformados en inmortales?

"No todos dormiremos; pero *todos seremos transformados,* en un momento, en un abrir y cerrar de ojos, *a la final trompeta*; porque se tocará la trompeta, y los muertos serán resucitados incorruptibles, y nosotros seremos transformados" (1 Corintios 15:51, 52).

¿Qué cosa será devorada entonces?

"Y cuando este ser corruptible se revista de incorruptibilidad y este ser mortal se revista de inmortalidad, entonces se cumplirá la palabra que está escrita: *La muerte ha sido devorada en la victoria*" (vers. 54. Biblia de Jerusalén. Véase el vers. 57).

¿Cuál es la paga del pecado?

"La paga del pecado *es muerte*" (Romanos 6:23).

¿Sólo por medio de quién hay salvación del pecado?

"Y *en ningún otro hay salvación*; porque no hay otro nombre bajo el cielo, dado a los hombres, en que podamos ser salvos" (Hechos 4:12).

¿Para qué envió Dios a su Hijo unigénito a este mundo?

"Para que todo aquel que en él cree, no se pierda, *mas tenga vida eterna*" (S. Juan 3:16).

¿Qué declara Cristo que él mismo es?

"Yo soy el camino, y la verdad, y *la vida*" (S. Juan 14:6).

¿Qué dice él que les da a los que le siguen?

"Mis ovejas oyen mi voz, y yo las conozco, y me siguen, *y yo les doy vida eterna*; y no perecerán jamás, ni nadie las arrebatará de mi mano" (S. Juan 10:27, 28).

CONDICIONES BAJO LAS CUALES SE RECIBE LA VIDA

¿Bajo qué condición se posee esta vida?

"*Si no coméis la carne del Hijo del Hombre, y bebéis su sangre*, no tenéis vida en vosotros" (S. Juan 6:53).

¿En quién está la vida eterna?

"Y éste es el testimonio: que Dios nos ha dado vida eterna; *y esta vida está en su Hijo*" (S. Juan 5:11).

¿Solamente quién tiene esta vida?

"*El que tiene al Hijo, tiene la vida*; el que no tiene al Hijo de Dios no tiene la vida" (vers. 12). "El que oye *mi palabra, y cree al que me envió, tiene vida eterna*; y no vendrá a condenación, mas ha pasado de muerte a vida" (S. Juan 5:24).

LOS PENSAMIENTOS Y SENTIMIENTOS DE LOS MUERTOS

¿Qué saben los muertos acerca de su familia?

"Sus hijos tendrán honores, *pero él no lo sabrá*; o serán humillados, *y no entenderá de ello*" Job 14:21).

¿Qué sucede con los pensamientos del hombre cuando muere?

"Pues sale su aliento, y vuelve a la tierra; *en ese mismo día perecen sus pensamientos*" (Salmo 146:4).

¿Saben alguna cosa los muertos?

"Porque los que viven saben que han de morir; *pero los muertos nada saben*" (Eclesiastés 9:5).

¿Tienen alguna participación en las cosas terrenales?

"También su amor y su odio y su envidia fenecieron ya; y nunca más tendrán parte en todo lo que se hace debajo del sol" (vers. 6).

Nota.—Si uno permaneciera consciente después de la muerte, se enteraría de la buena o mala suerte de sus hijos, si reciben honores o caen en desgracia. Pero en la muerte se pierden todos los atributos de la mente: la capacidad pensante, el amor, el odio, la envidia, en fin, todas las manifestaciones de la vida consciente y volitiva. Al haber perecido sus pensamientos es claro que el hombre no puede tener nada más que hacer con las cosas de este mundo. Pero si, como enseñan algunos, las facultades del pensamiento del hombre continúan después de la muerte, él vive; y si vive, debe estar en algún lugar. ¿Dónde? ¿En el cielo, o en el infierno? Si al morir va a cualquiera de esos lugares, ¿para qué se necesitaría un juicio futuro? ¿o una resurrección? ¿o la segunda venida de Cristo? Si los hombres reciben su recompensa al morir, antes que se realice el juicio final, de hecho su recompensa o condenación precederían su sentencia —cosa totalmente inadmisible.

¿Cuánto sabe uno de Dios después de morir?

Porque en la muerte *no hay memoria de ti*" (Salmo 6:5).

Nota.—Como ya hemos visto, la Biblia presenta en todas partes a los muertos como durmiendo, sin memoria siquiera de Dios. Si estuvieran ellos en el cielo o en el infierno, ¿hubiera dicho Jesús: "Nuestro amigo Lázaro duerme"? (S. Juan 11:11). Si hubiese sido así, al llamarlo a la vida lo habría privado de la bienaventuranza del cielo que en justicia le pertenecía. La parábola del rico y Lázaro (S. Lucas 16) no enseña que los muertos están conscientes, sino que las riquezas no aprovecharán en el juicio y que la pobreza no excluirá a nadie del cielo.

¿DÓNDE ESTÁN LOS MUERTOS?

¿No están los justos muertos en el cielo alabando a Dios?

"Porque David *no subió a los cielos*" (Hechos 2:34). "*No alabarán los muertos a JAH*, ni cuantos descienden al silencio" (Salmo 115:17).

¿Dónde dijo Job que esperaría su relevo final?

"Cuando muere el hombre, ¿podrá acaso volver a vivir? Todos los días de mi milicia esperaré, *hasta que llegue la hora de mi relevo*" (Job 14:14, VM). "*Aun cuando espere, el sepulcro es mi casa*; en las tinieblas tengo tendido mi lecho" (Job 17:13, VM).

Nota.—La palabra hebrea que se traduce como "sepulcro" en este versículo es *she'ol*, que significa entre otras cosas un lugar oscuro, vacío, subterráneo, usado sencillamente con referencia a la residencia de los muertos en general, sin distinción entre buenos y malos (*Young's Analytical Concordance* [Concordancia analítica de Young]).

La misma palabra se traduce también como "abismo" (Números 16:30, 33, VM); y en algunas versiones se la traduce a veces como infierno. Pero es evidente que la mejor traducción de *she'ol* es "sepulcro", o "sepultura", como lo evidencian los siguientes pasajes, en la Versión Moderna, referentes a Jacob (Génesis 37:35; 42:38), a Job (Job 14:13), al salmista (Salmo 30:3), y a Cristo mismo

(Salmo 16:10; Hechos 2:27, 31). La palabra hebrea *she'ol*, del Antiguo Testamento, tiene su equivalente en la palabra griega *hades* en el Nuevo Testamento. Debe recordarse que "infierno" en el Antiguo Testamento siempre significa *she'ol*, la residencia figurada de los muertos, un lugar oscuro y silencioso, y no un lugar de horribles tormentos.

CUANDO LOS MUERTOS RESUCITEN

¿Qué debe suceder antes que los muertos puedan alabar a Dios?

"Tus muertos vivirán; sus cadáveres resucitarán. *¡Despertad y cantad, moradores del polvo!* Porque... La tierra dará sus muertos" (Isaías 26:19).

¿Cuándo dijo el salmista que quedaría satisfecho?

"En cuanto a mí, veré tu rostro en justicia; estaré satisfecho *cuando despierte a tu semejanza*" (Salmo 17:15).

Si no hubiera resurrección de los muertos, ¿cuál sería la condición de los que durmieron en Cristo?

"Porque si los muertos no resucitan, tampoco Cristo resucitó... Entonces también *los que durmieron en Cristo perecieron*" (1 Corintios 15:16,18).

¿Cuándo tendrá lugar la resurrección de los justos?

"Porque el Señor mismo con voz de mando, con voz de arcángel, y con trompeta de Dios, *descenderá del cielo; y los muertos en Cristo resucitarán primero*" (1 Tesalonicenses 4:16).

Nota.—Si, como se declara en Eclesiastés 9:5, los muertos nada saben, entonces ellos no tienen noción del transcurso del tiempo; cuando resuciten les parecerá que no transcurrió tiempo alguno. "Seis mil años en la tumba no es, para un muerto, más que un cerrar y abrir de ojos para el que vive".

Debería ser también un pensamiento consolador para aquellos cuyas vidas han estado llenas de ansiedad y pena por el fallecimiento de seres amados que persistieron en el pecado, el saber que los tales no están ahora sufriendo tormentos, sino durmiendo tranquilamente en sus tumbas, con todo el resto de los muertos.

Además, se malograría la felicidad de los que estuviesen en el cielo si pudieran mirar la tierra y ver a sus amigos y parientes sufriendo persecución, necesidad, frío, o hambre, o lamentando a los muertos. El plan de Dios es el mejor: que toda vida, animación, actividad y pensamiento conscientes cesen con la muerte, y que todos esperen hasta la resurrección para recibir su recompensa eterna (véase Hebreos 11:39, 40).

C A P Í T U L O   1 6

El Infierno

LA CAUSA DE LA DESTRUCCIÓN DE LOS IMPÍOS

¿Qué pregunta formula el apóstol Pedro acerca de los impíos?

"¿Cuál será el fin de aquellos que no obedecen al evangelio de Dios?" (1 S. Pedro 4:17).

¿Cuál es la paga del pecado, según la Biblia? ¿Cuál será la suerte de los que persisten en pecar?

"Porque la paga del pecado es muerte" (Romanos 6:23). "El alma que pecare, esa morirá" (Ezequiel 18:4).

DESTRUCCIÓN COMPLETA

¿Cuál será la naturaleza de esa muerte?

"Los cuales pagarán la pena de *eterna destrucción*" (2 Tesalonicenses 1:9, VHA).

¿Qué sobrevendrá a los que no se arrepienten?

"Si no os arrepentís, todos pereceréis igualmente" (S. Lucas 13:3). "Mas aquéllos, como bestias irracionales, nacidas de propósito para ser cogidas y destruidas, dicen injurias contra lo que no entienden, *y perecerán del todo en su misma corrupción*" (2 S. Pedro 2:12, VM).

¿Cómo describe Juan el Bautista la destrucción de los impíos?

"Él... recogerá su trigo en el granero; mas quemará la paja *con fuego inextinguible*" (S. Mateo 3:11,12, VM).

¿Para quiénes fue preparado originalmente ese fuego?

"Entonces dirá también a los de la izquierda: Apartaos de mí, malditos, al fuego eterno *preparado para el diablo y sus ángeles*" (S. Mateo 25:41).

Nota.—Se dice que este fuego es "eterno", (griego: *aionion*, "duradero, eterno") debido a la naturaleza de su acción; llamado también "inextinguible" (griego: *asbestos*, "inextinguible") porque no puede ser apagado. Eso no significa que no se apague al consumar su obra. El "fuego eterno", redujo a Sodoma y Gomorra a cenizas (Judas 9; 2 S. Pedro 2:6) y, sin embargo, se extinguió al completar la destrucción de ambas ciudades.

¿Subsistirá alguna porción de los impíos?

"Porque he aquí viene el día ardiente como un horno, y todos los soberbios y todos los que hacen maldad serán estopa; aquel día que vendrá *los abrasará*, ha dicho Jehová de los ejércitos, *y no les dejará ni raíz ni rama*" (Malaquías 4:11).

¿Cuán completamente será destruido el hombre en el infierno?

"Temed más bien a aquel que puede destruir *el alma y el cuerpo en el infierno*" (S. Mateo 10:28).

Nota.—Este pasaje de la Escritura prueba que el alma no es inmortal ni indestructible.

El castigo —"destrucción"— eterno de los impíos es esta destrucción del alma y el cuerpo en el infierno (griego: *Geenna* [Gehenna]).

"Infierno" en el Nuevo Testamento viene de tres palabras griegas:

Hades, 10 veces. S. Mateo 11:23; 16:18; S. Lucas 10:15; 16:23; Hechos 2:7,31; Apocalipsis 1:18; 6:8; 20:13,14. *Hades* se traduce también, una vez, como "sepulcro", en 1 Corintios 15:55.

Geenna (Gehenna), 12 veces. S. Mateo 5:22, 29, 30; 10:28; 18:9; 23:15, 33; S. Marcos 9:43, 45, 47; S. Lucas 12:5; Santiago 3:6.

Tartaroo, 1 vez, la única que aparece en la Biblia 2 S. Pedro 2:4.

Hades (el mundo inferior, lugar de los muertos, el sepulcro) es el equivalente de *she'ol* (véase la p. 62).

Tartaroo, que describe la caída de los ángeles rebeldes de Satanás, es un verbo que significa "lanzar al Tártaro". Esta es una notable metáfora que alude al tártaro de la mitología griega un abismo más profundo que el *Hades*, la prisión de los titanes que luchaban contra los dioses.

Gehenna, la única otra palabra que se traduce "infierno", deriva del hebreo *ge´hinnom*, valle de Hinom. Se usa como símbolo de los fuegos del gran día del juicio final. Esta es la palabra empleada en San Mateo 10:28 para describir el lugar donde los malos serán destruidos —cuerpo y alma.

DÓNDE, CUÁNDO Y CÓMO

¿Cuándo serán castigados los impíos?

Pero los cielos y la tierra que existen ahora, están reservados por la misma palabra, *guardados para el fuego en el día del juicio y de la perdición de los hombres impíos*" (2 S. Pedro 3:7).

Nota.—Los cielos y la tierra y los pecadores que existen ahora esperan el fuego del último día. El griego que se traduce como "perdición" es *apoleia*, "destrucción".

¿Cuál será el resultado del fuego del último día?

"¡Esperando y apresurándoos para la venida del día de Dios, en el cual los cielos, *encendiéndose, serán deshechos, y los elementos, siendo quemados, se fundirán!*" "*La tierra y las obras que en ellos hay serán quemadas*" (vers. 12, 10).

¿Cómo dice Cristo que serán eliminados el pecado y los pecadores?

"Sus ángeles... recogerán de su reino a todos los que sirven de tropiezo, y a los que hacen iniquidad, y los echarán en el horno de fuego" (S. Mateo 13:41, 42).

¿Cuándo van a ser resucitados los impíos para recibir este castigo final?

"Pero los otros muertos no volvieron a vivir hasta que *se cumplieron mil años*" (Apocalipsis 20:5).

¿De dónde saldrá el fuego que los destruirá?

"Y subieron sobre la anchura de la tierra, y rodearon el campamento de los santos y la ciudad amada; y *de Dios descendió fuego del cielo, y los consumió*" (vers. 9).

Nota.—Esto puede llamarse la "extraña obra" de Dios, y "su extraña operación": la obra de destrucción (Isaías 28:21). Pero con estos extraños medios Dios limpiará el universo de una vez por todas y para siempre del pecado y de todos sus tristes resultados. La muerte misma llegará entonces a su fin; será arrojada en el lago de fuego (Apocalipsis 20:14).

¿Mediante qué figura describe Malaquías la destrucción de los impíos?

"*Hollaréis a los malos, los cuales serán ceniza bajo las plantas de vuestros pies*" (Malaquías 4 3).

Nota.—Los impíos serán enteramente destruidos. Por causa del pecado ellos han perdido el derecho a la vida y a una existencia inmortal, ya que escogieron el camino de la muerte y la destrucción. Por su elección se han mostrado inservibles, como desperdicios, zarzales, espinas, etc. Habrán perdido la oportunidad de obtener la vida eterna por la forma en que usaron su tiempo de gracia. Su destrucción será, en efecto, un acto de amor y misericordia de parte de Dios; porque perpetuar sus vidas sería solamente eternizar el pecado, la tristeza, el sufrimiento y la miseria. Por lo tanto, por terrible que sea este juicio, nada de valor se perderá como consecuencia de él, nada digno de salvarse se perderá. El experimento del pecado habrá terminado, y se cristalizará el plan original de Dios de poblar la tierra con una raza de seres santos y felices (2 S. Pedro 3:13).

¿Cómo se llama esta destrucción final de los impíos?

"Esta es *la muerte segunda*" (Apocalipsis 2:14).

Después del día ardiente, ¿qué surgirá?

"Pero nosotros esperamos, según sus promesas, *cielos nuevos y tierra nueva*, en los cuales mora la justicia" (2 S. Pedro 3:13).

¿Cómo serán recompensados los justos en la tierra?

"Bienaventurados los mansos, *porque ellos recibirán la tierra por heredad*" (S. Mateo 5:5). "Entonces los justos resplandecerán como el sol en el reino de su Padre" (S. Mateo 13:43).

Nota.—Satanás y los impíos tienen ahora este mundo como su "lugar". A su debido tiempo Cristo lo ocupará. Él lo limpiará del pecado y los pecadores, y lo restaurará, para poder darlo a los santos del Altísimo como posesión eterna (véase Daniel 7:18, 22, 27).

El Milenio

EL MILENIO Y EL JUICIO

¿En qué pasaje de la Escritura se presenta definidamente el milenio?

"Y vi tronos, y se sentaron sobre ellos los que recibieron facultad de juzgar; ... *y vivieron y reinaron con Cristo mil años*" (Apocalipsis 20:4).

Nota.—El griego puede también traducirse "revivieron y reinaron", como reza la Biblia de Jerusalén y otras versiones.

¿A quiénes dice San Pablo que han de juzgar los santos?

"¿Osa alguno de vosotros, cuando tiene algo contra otro, ir a juicio delante de los injustos, y no delante de los santos?¿O no *sabéis que los santos han de juzgar al mundo?... ¿O no sabéis que hemos de juzgar a los ángeles?*" (1 Corintios 6:1-3).

Nota.—De acuerdo con este texto de la Escritura, y el anterior, es claro que los santos de todos los siglos han de estar ocupados con Cristo en una obra de "juicio" durante el milenio, o sea el período de mil años predicho en Apocalipsis 20.

EL COMIENZO DEL MILENIO

¿Cuántas resurrecciones habrá?

"No os maravilléis de esto; porque vendrá hora cuando todos los que están en los sepulcros oirán su voz; y los que hicieron lo bueno, saldrán a *resurrección de vida*; mas los que hicieron lo malo, a *resurrección de condenación*" (S. Juan 5:28, 29).

¿Solamente qué clase participará en la primera resurrección?

"*Bienaventurado y santo* el que tiene parte en la primera resurrección; la segunda muerte no tiene potestad sobre éstos" (Apocalipsis 20:6).

¿Qué hará Cristo con los santos cuando venga?

"Vendré otra vez, *y os tomaré a mí mismo*, para que donde yo estoy, vosotros también estéis" (S. Juan 14:3).

Nota.—En otras palabras, Cristo los llevará al cielo, para que allí vivan y reinen con él durante los mil años.

¿Dónde vio San Juan en visión a los santos?

"Después de esto miré, y he aquí una gran multitud, la cual nadie podía contar, de todas naciones y tribus y pueblos y lenguas, que estaban *delante del trono y en la presencia del Cordero*, vestidos de ropas blancas, y con palmas en las manos" (Apocalipsis 7:9).

Nota.—Este pasaje de la Escritura muestra claramente que los justos han de ser llevados al cielo inmediatamente después de la primera resurrección (véase también 1 Tesalonicenses 4:16-18). Esto concuerda con las palabras de Cristo registradas en San Juan 14:2, 3, que dicen: "Voy, pues, a preparar lugar para vosotros. Y si me fuere y os preparare lugar, vendré otra vez, y os tomaré a mí mismo, para que donde yo estoy, vosotros también estéis". San Pedro deseaba acompañar a Cristo a esas mansiones; pero Jesús respondió: "A donde yo voy, no me puedes seguir ahora; *mas me seguirás después*" (S. Juan 13:36). Esto indica claramente que cuando Cristo regrese a la tierra para recibir a sus fieles, los llevará a la casa del Padre en el cielo.

¿Qué sucederá con los impíos que estén vivos cuando Cristo venga?

"Como fue en los días de Noé, así también será en los días del Hijo del Hombre. Comían, bebían, se casaban y se daban en casamiento, hasta el día en que entró Noé en el arca, y *vino el diluvio y los destruyó a todos*. Asimismo como sucedió en los días

5—R.B.

5—R.B.

65

de Lot; ... el día en que Lot salió de Sodoma llovió del cielo fuego y azufre, y los destruyó a todos. Así será el día en que el Hijo del Hombre se manifieste" (S. Lucas 17:26-30).

¿Qué dice acerca de esto el apóstol Pablo?

"Cuando digan: Paz y seguridad, entonces vendrá sobre ellos destrucción repentina,... *y no escaparán*" (1 Tesalonicenses 5:3).

Nota.—Cuando Cristo venga, los justos serán librados y llevados al cielo, y todos los impíos que estén vivos serán destruidos repentinamente, como lo fueron en ocasión del diluvio (para más pruebas véase 2 Tesalonicenses 1:7-9; Apocalipsis 6:14-17; 19:11-21; Jeremías 25:30-33). No habrá resurrección general de los impíos hasta el fin de los mil años (véase también Apocalipsis 20:5). Esto dejará la tierra desolada y sin ningún habitante humano, durante ese período.

¿Durante cuánto tiempo será aprisionado Satanás en esta tierra?

"Vi a un ángel que descendía del cielo, con la llave del abismo, y una gran cadena en la mano. Y prendió al dragón, la serpiente antigua, que es el diablo y Satanás, *y lo ató por mil años*; y lo arrojó al abismo, y lo encerró, y puso su sello sobre él, para que no engañase más a las naciones, *hasta que fuesen cumplidos mil años*" (Apocalipsis 20:1-3)

Nota.—La palabra "abismo" es un término que se aplica a la tierra en su condición desolada, arruinada, caótica, oscura, inhabitada. En esta condición quedará durante los mil años. Será la triste prisión de Satanás durante este período. Aquí, en medio de los huesos convertidos en polvo, de los impíos, muertos a la venida de Cristo, de las ciudades derribadas y del destrozo y la ruina de toda la pompa y el poder de este mundo, Satanás tendrá la oportunidad de reflexionar sobre los resultados de su rebelión contra Dios.

EL FIN DEL MILENIO

Los justos muertos son resucitados en ocasión de la segunda venida de Cristo. ¿Cuándo serán resucitados los otros muertos, o sea los impíos?

"Pero los otros muertos no volvieron a vivir *hasta que se cumplieron mil años*" (vers. 5).

Nota.—Según esto, el comienzo y el fin del milenio, o el período de mil años, son señalados por dos resurrecciones. El milenio cubre el tiempo durante el cual Satanás estará atado con una cadena de circunstancias y los impíos y los ángeles rebeldes serán juzgados. Este período será delimitado por distintos acontecimientos. Su comienzo está señalado por la terminación del tiempo de gracia, el derramamiento de las siete postreras plagas, la segunda venida de Cristo y la resurrección de los justos; y su conclusión, por la resurrección de los impíos y su destrucción final en el lago de fuego (ver diagrama p. 68).

¿Qué cambio se produce en la condición de Satanás al terminar los mil años?

"Después de esto debe ser desatado por un poco de tiempo" (vers. 3).

Nota.—Al finalizar los mil años, Cristo, acompañado por los santos, viene otra vez a la tierra, para ejecutar el castigo de los impíos, y para preparar la tierra, mediante una nueva creación, como la morada eterna de los justos. Entonces, en respuesta al requerimiento de Cristo, los impíos de todos los siglos reviven. Esta es la segunda resurrección, la resurrección para condenación. Los impíos se levantan con el mismo espíritu rebelde que los dominaba en vida. Satanás es suelto de su largo período de cautiverio e inactividad.

Tan pronto como los impíos resucitan, ¿qué hace de nuevo Satanás?

"Cuando los mil años se cumplan, Satanás será suelto de su prisión, y *saldrá a engañar a las naciones* que están en los cuatro ángulos de la tierra, a Gog y a Magog, a fin de reunirlos para la batalla; el número de los cuales es como la arena del mar" (vers. 7, 8).

¿Contra quiénes van a hacer guerra los impíos, y cuál será "el desenlace"?

"Y subieron sobre la anchura de la tierra, y *rodearon el campamento de los santos y la ciudad amada; y de Dios descendió fuego del cielo, y los consumió*" (vers. 9).

Nota.—Este es el último acto en el gran conflicto entre Cristo y Satanás. Toda la raza humana se encuentra aquí por primera y última vez. La separación eterna de los justos y los impíos se efectúa aquí. Entonces se ejecuta el juicio de Dios sobre los impíos en el lago de fuego. Esta es la muerte segunda. Todo esto pone fin a la gran rebelión contra Dios y su gobierno. Ahora se oye la voz de Dios cuando, sentado en su trono, hablando a los santos dice: "He aquí, yo hago nuevas todas las cosas"; y de las ruinas de la quemazón de la tierra envejecida surgen a la asombrada contemplación de los millones de redimidos "un cielo nuevo y una tierra nueva", en los cuales hallarán una herencia y una morada eternas.

CONDICIONES DURANTE EL MILENIO

¿Cómo describe el profeta Jeremías la condición de la tierra durante este período?

"Miré a la tierra, y he aquí *estaba asolada y vacía*; y a los cielos, y no había en ellos luz. Miré a los montes, y he aquí que temblaban, y todos los collados fueron destruidos. Miré, y no había hombre, y todas las aves del cielo se habían ido. Miré, y he aquí el campo fértil era un desierto, y todas sus ciudades eran asoladas delante de Jehová, delante del ardor de su ira" (Jeremías 4:23-26).

Nota.—Cuando Cristo viene, la tierra queda reducida a una masa de ruinas. Los cielos se retraen como un rollo que se envuelve; las montañas son movidas de sus lugares; y la tierra se convierte en un vacío desolado, oscuro y deprimente (véase Isaías 24:1-3; Apocalipsis 6:14-17).

¿Qué dice Isaías respecto a cómo quedarán los impíos durante estos mil años?

"Acontecerá en aquel día, que Jehová castigará al ejército de los cielos en lo alto, y a los reyes de la tierra sobre la tierra. Y serán amontonados como se amontona a los encarcelados en mazmorra, y en prisión quedarán encerrados, y serán castigados después de muchos días" (Isaías 24:21, 22).

NOTA.—El milenio es un gran sábado de descanso para la tierra y para el pueblo de Dios. Durante seis mil años la tierra y sus habitantes han estado sufriendo bajo la maldición del pecado. El milenio, el séptimo período de mil años, será un sábado de reposo y de liberación. Hablando de la tierra, el profeta dice que "todo el tiempo de su asolamiento reposó" (2 Crónicas 36:21). "Por tanto, queda un reposo [u observancia de un reposo] para el pueblo de Dios" (Hebreos 4:9). Este período de reposo precede a la instauración de la Tierra Nueva.

El milenio es el período final de la gran semana del tiempo, un gran sábado de descanso para la tierra y para el pueblo de Dios.

Sigue a la conclusión de la era evangélica, y precede al establecimiento del reino eterno de Dios en la tierra.

Incluye lo que las Escrituras mencionan a menudo como "el día del Señor". Está delimitado en ambos extremos por una resurrección.

Su comienzo está señalado por el derramamiento de las siete postreras plagas, la segunda venida de Cristo, la resurrección de los justos que están muertos, el aprisionamiento de Satanás y el traslado de los santos al cielo; y su conclusión, por el descenso de la Nueva Jerusalén —desde el cielo con Cristo y los santos—, la resurrección de los impíos, la soltura de Satanás y la destrucción final de los impíos.

Durante los mil años la tierra está desolada; Satanás y sus ángeles están confinados aquí, y los santos participan con Cristo en el juicio de los impíos, de cuyo castigo final es preparatorio.

Luego resucitan los impíos; Satanás queda suelto por un poco de tiempo, y él con las huestes de los impíos rodean el campo de los santos y la Santa Ciudad. Entonces desciende de Dios fuego del cielo y los consume. La tierra es purificada por el mismo fuego que destruye a los impíos y, una vez renovada, se convierte en la morada eterna de los santos.

El milenio es uno de "los siglos [edades] venideros". Su conclusión señalará el comienzo del estado de la tierra nueva.

1. El fin de las siete postreras plagas
2. La segunda venida de Cristo
3. Los justos muertos resucitan
4. Mueren los impíos Satanás encadenado
5. Los justos ascienden al cielo

EL MILENIO

1. Cristo y los santos descienden
2. Desciende la santa ciudad
3. Resucitan los impíos
4. Satanás es suelto
5. Los impíos son destruidos

1.000 AÑOS ENTRE LAS DOS RESURRECCIONES

PRIMERA RESURRECCIÓN

SEGUNDA RESURRECCIÓN

EL FIN DEL MUNDO   LA TIERRA DESOLADA DURANTE 1.000 AÑOS   LA TIERRA NUEVA Y LA ETERNIDAD

CAPÍTULO 18

El Juicio

(LOS 2.300 DÍAS DE DANIEL 8 y 9)

¿Qué alarmante mensaje se da en Apocalipsis 14:7?

"Temed a Dios, y dadle gloria, *porque la hora de su juicio ha llegado*; y adorad a aquel que hizo el cielo y la tierra, el mar y las fuentes de las aguas".

¿Cuándo es la hora del juicio de Dios?

"Y él dijo: *Hasta dos mil trescientas tardes y mañanas* [días completos]; luego el santuario será purificado" (Daniel 8:14).

Nota.—Por el estudio de los capítulos subsiguientes sobre el santuario, se verá que la purificación del santuario terrenal el día de la expiación incluía una obra de juicio. El pueblo judío lo entendía así. Este período de 2.300 días, equivalente a 2.300 años literales se extiende hasta la purificación del santuario celestial, o, en otras palabras, hasta el comienzo del juicio investigador, como se describe en Daniel 7:9, 10.

¿Por qué el ángel no le explicó plenamente a Daniel este período cuando se le apareció la primera vez?

"Y yo Daniel quedé quebrantado, *y estuve enfermo algunos días*, y cuando convalecí, atendí los negocios del rey; pero estaba espantado a causa de la visión, y no la entendía" (vers. 27).

Nota.—Al profeta se le había dada una visión de las grandes naciones de sus días y del futuro, y de las persecuciones contra el pueblo de Dios. Dicha visión concluía con el período que señalaba la purificación del santuario. Pero el anciano Daniel se desmayó y estuvo enfermo algunos días. En consecuencia la interpretación fue interrumpida, y no fue completada hasta después de la recuperación del profeta. La visión y su parcial explicación fueron dadas en el tercer año de la corregencia de Belsasar con su padre Nabonido; la interpretación del período que abarcaba fue dada después de la caída de Babilonia, en el primer año de Darío.

En algún momento posterior a la recuperación de Daniel de su enfermedad, ¿a qué dirigió él su atención?

"En el año primero de Darío hijo de Asuero... yo Daniel miré atentamente en los libros el número de los años de que habló Jehová al profeta Jeremías, que habían de cumplirse las desolaciones de Jerusalén en setenta años" (Daniel 9:1, 2).

Nota.—Nabucodonosor sitió a Jerusalén en el tercer año de Joacim (Daniel 1:1), y Jeremías anunció los setenta años de cautiverio en el cuarto año de Joacim (Jeremías 25:1, 12). Esto significa que la primera deportación de los judíos a Babilonia, cuando Daniel y sus compañeros fueron llevados, ocurrió entonces. Los setenta años de la profecía de Jeremías debían expirar en 536 a.C. Siendo que el primer año del Imperio Persa comenzó en 538 a.C., el tiempo de la restauración estaba por lo tanto sólo a dos años en el futuro.

¿Qué indujo a hacer a Daniel esta inminencia del tiempo de la restauración del cautiverio?

"Y volví mi rostro a Dios el Señor, *buscándole en oración y ruego*, en ayuno, cilicio y ceniza" (vers. 3).

¿En qué estaba especialmente interesado el profeta?

Ahora pues, Dios nuestro, oye la oración de tu siervo, y sus ruegos; y haz que tu rostro resplandezca sobre tu *santuario asolado*, por amor del Señor. (vers. 17).

GABRIEL APARECE DE NUEVO

Mientras Daniel estaba orando en cuanto al santuario que yacía desolado en Jerusalén, ¿quién apareció en escena?

"Aún estaba hablando en oración, cuando el varón *Gabriel*, a quien había visto en la visión al principio, volando con presteza, vino a mí como a la hora del sacrificio de la tarde" (vers. 21).

Nota. —Era conveniente que, cuando Daniel estaba orando fervientemente por el santuario desolado de Jerusalén, el ángel Gabriel volviese a visitar al profeta para explicarle la porción de la profecía de Daniel 8 que no había sido interpretada, la parte que tenía que ver con el período de tiempo que él no podía entender. El ángel no sólo le hablaría del santuario terrenal típico y de su futuro, sino que le daría, para beneficio de los que vivieran en el tiempo del fin, una visión del verdadero servicio celestial.

¿Qué le pidió enseguida el ángel al profeta que considerase?

"Y me hizo entender, y habló conmigo, diciendo: Daniel, ahora he salido para darte sabiduría y entendimiento... Entiende, pues, la orden, y *entiende la visión*" (vers. 22, 23).

Nota. —Es evidente que el ángel comenzó justamente donde él había interrumpido la explicación de la profecía del capítulo ocho, porque no introduce una nueva línea de profecías, ni una nueva visión. "Entiende la visión". En el hebreo el artículo definido la aquí identifica claramente la visión mencionada previamente. Esta es obviamente la visión del capítulo precedente. Siendo que el periodo de 2.300 días era la única parte de la visión anterior que había quedado sin explicación, el ángel debía comenzar naturalmente con una interpretación de ese período.

¿Qué porción de los 2.300 días mencionados en la visión estaba determinada para los judíos?

"Setenta semanas están determinadas sobre tu pueblo y sobre tu santa ciudad" (vers. 24).

Nota. —La palabra "semanas", literalmente "sietes", se usa en la literatura judía para referirse a períodos de siete días y también a periodos de siete años. Los eruditos judíos y cristianos, en general, han llegado a la conclusión de que aquí el contexto requiere que se entienda "semanas" de años. "Setenta semanas" de siete años cada una serían 490 años.

En el hebreo bíblico la palabra traducida aquí como "determinadas" tiene el sentido de "cortar", "cortar de", "determinar", "decretar". En vista del hecho de que las setenta semanas de Daniel 9 son una parte de los 2.300 días del capítulo 8, y fueron cortadas de él y asignadas particularmente a los judíos, el sentido de "cortar" parece aquí especialmente propio.

Las setenta semanas, por lo tanto, fueron "determinadas", o cortadas. Hay dos períodos bajo consideración, es el de 2.300 días, el segundo, el de las setenta semanas. Ambos tienen que ver con la restauración del pueblo judío y del santuario, porque los judíos estaban cautivos y el santuario estaba en ruinas. Los dos períodos deben comenzar con la restauración, y, por lo tanto, al mismo tiempo. La plena restauración de las leyes y el gobierno de los judíos pertinente al pueblo y a su santuario se produjo en el año 457 a.C., como lo veremos más adelante. Es razonable, entonces, decir que las setenta semanas eran una parte del período de 2.300 años, y que fueron "cortadas" como un período concerniente al pueblo judío y al servicio de su santuario.

¿Qué habría de llevarse a cabo al final, o cerca del fin, de este período de setenta semanas?

"Para terminar la prevaricación, y poner fin al pecado, y expiar la iniquidad, para traer la justicia perdurable, y sellar la visión y la profecía, y ungir al Santo de los santos" (vers. 24, ú. p.).

Nota.—"Para terminar la prevaricación". Los judíos iban a colmar la medida de su iniquidad rechazando y crucificando al Mesías; ellos no serían más su pueblo peculiar y escogido. (Léase S. Mateo 21:38-43; 23:32-38; 27:25.)

"Poner fin al pecado". La mejor explicación de esta frase se da en Hebreos 9:26: "Pero ahora, en la consumación de los siglos, se presentó una vez para siempre por el sacrificio de sí mismo para quitar de en medio el pecado"; y en Romanos 8:3:"Lo que era imposible para la ley, por cuanto era débil por la carne, Dios, enviando a su Hijo en semejanza de carne de pecado y a causa del pecado, condenó al pecado en la carne".

"Para traer la justicia perdurable". Esto debe significar la justicia de Cristo, la justicia por la cual él fue habilitado para expiar el pecado, y la cual, por la fe, puede imputarse al creyente arrepentido.

"Para ungir al Santo de los santos". Las palabras hebreas que se usan aquí se aplican comúnmente al santuario, pero no a las personas. El ungimiento del "Santo de los santos", entonces, debe referirse al ungimiento del santuario celestial, cuando Cristo llegó a ser "ministro del santuario, y de aquel verdadero tabernáculo que levantó el Señor, y no el hombre" (Hebreos 8:2).

EL COMIENZO DEL PERÍODO

¿Cuándo dijo el ángel que iban a comenzar las setenta semanas?

"Sabe, pues, y entiende, *que desde la salida de la orden para restaurar y edificar a Jerusalén* hasta el Mesías Príncipe, habrá siete semanas, y sesenta y dos semanas; se volverá a edificar la plaza y el muro en tiempos angustiosos" (Daniel 9:25).

Nota. —Setenta semanas serían un período de 490 años literales. (Véase la nota de la p. 70.) Sesenta y nueve (7 semanas y 62 semanas) de las setenta semanas habrían de llegar "hasta el Mesías Príncipe". *Mesías* es Cristo, "el Ungido". *Mesías* es la palabra hebrea, y Cristo la palabra griega, para significar "ungido".

¿Cómo fue ungido Jesús?

"Como Dios ungió con el Espíritu Santo y con poder a Jesús de Nazaret" (Hechos 10:38).

¿En qué ocasión recibió Jesús la unción especial del Espíritu Santo?

"También Jesús fue bautizado; y orando, el cielo se abrió, y descendió el Espíritu Santo sobre él en forma corporal, como paloma, y vino una voz del cielo que decía: Tú eres mi Hijo amado; en ti tengo complacencia" (S. Lucas 3:21, 22).

¿Qué profecía citó Jesús poco tiempo después de esto como profecía que se aplicaba a él?

"El Espíritu del Señor está sobre mí, por cuanto me ha ungido para dar buenas nuevas a los pobres" (S. Lucas 4:18. Véase S. Marcos 1:15).

Nota. —Es evidente que las sesenta y nueve semanas habrían de extenderse hasta el bautismo de Cristo, siendo que ésa fue la ocasión de su ungimiento por el Espíritu Santo. Juan el Bautista comenzó su ministerio en el decimoquinto año del reinado de Tiberio (S. Lucas 3:1-3), y esto colocaría el ungimiento de Jesús en el año 27 DC, en ocasión de su bautismo.

¿Cuándo fue publicado un decreto que disponía la restauración y edificación de Jerusalén?

"Este Esdras subió de Babilonia... Y con él subieron a Jerusalén algunos de los hijos de Israel, y de los sacerdotes, levitas, cantores, porteros y sirvientes del templo, *en el séptimo año del rey Artajerjes. Y llegó a Jerusalén en el mes quinto del año séptimo del rey*" (Esdras 7:6-8).

Nota.—Fueron publicados tres decretos por los monarcas persas para la restauración de los judíos y de su patria. En el libro de Esdras se los menciona: "Edificaron, pues, y terminaron, por orden del Dios de Israel, y por mandato de Ciro, de Darío, y de Artajerjes rey de Persia" (Esdras 6:14).

El decreto de Ciro se refería al templo solamente: el decreto de Darío Histaspes disponía la continuación de esa obra, impedida por Esmerdis; pero el decreto de Artajerjes restauraba el pleno gobierno judío y hacía provisión para la aplicación de sus leyes. Este último decreto, por lo tanto, es el que reconocemos como el punto de partida de las setenta semanas, tanto como de los 2.300 días.

PROFECÍA DE LOS 2300 DÍAS (DANIEL 8:14)

457 a.C. Inicio de la profecía	70 SEMANAS					1.810 AÑOS
	7 semanas=49 años (hasta el 408 a.C.)	62 semanas=434 años (hasta el 27 d.C.)	1/2 semana=3 1/2 años (hasta el 31 d.C.)	1/2 semana=3 1/2 años (hasta el 34 d.C.)	Total=70 semanas de años ó 490 años	1844 Fin de la profecía. Inicio del juicio investigador

Año 457 a.C. Decreto de Artajerjes para reedificar Jerusalén

Año 408 a.C. Reconstrucción del muro de Jerusalén

Año 27 d.C. Bautismo de Jesús

Año 31 d.C. Crucifixión de Jesús

Año 34 d.C.
• Martirio de Esteban y persecución de la iglesia
• Termina el tiempo de los judíos como pueblo especial de Dios
• Inicio de la predicación a los gentiles
• La iglesia se convierte en el Israel espiritual

Ilustraciones: Joe Maniscalco

El decreto de Artajerjes fue publicado en el séptimo año de su reinado, y de acuerdo con los antiguos métodos de la cronología, entró en vigor en Jerusalén en el otoño del año 457 a.C. Un cálculo de 483 años completos a partir del primer día del año 457 a.C. nos trae hasta el último día del año 26 d.C. Esto se demuestra por el hecho de que se reunieron los 26 años d.C. completos y el total de los 457 años a.C. para sumar 483 años, cosa que puede ilustrarse con el diagrama que aparece en la página 71.

El diagrama también revela que si el decreto para la completa restauración de Jerusalén no entró en vigor hasta después de la mitad del año 457 a.C. (Esdras 7:8), todo el tiempo de la primera parte de ese año no incluido en el período debe añadirse al último día del año 26 d.C., lo cual nos traería a la última parte del año 27 d.C., el tiempo del bautismo de Cristo. Así cumple el período el propósito de "sellar la visión y la profecía", o hacerlas completamente seguras.

Al fin de los 483 años, en el 27 d.C. faltaba todavía una semana, o siete años de los 490. ¿Qué se haría a la mitad de la semana?

"Y dará validez al pacto para con muchos en la semana restante, *y a la mitad de la semana hará cesar el sacrificio y la ofrenda*" (Daniel 9:27, VM).

Nota. —Como las sesenta y nueve semanas terminaron en el otoño del año 27 d.C., la mitad de la semana septuagésima, o sea los tres años y medio, debe terminar en la primavera del año 31 d.C. cuando Cristo fue crucificado y, por su muerte, hizo cesar los sacrificios y las oblaciones del santuario terrenal, o les puso fin. Tres años y medio más (la última parte de la septuagésima semana) deben terminar en el otoño del año 34 d.C. Esto nos trae al fin de los 490 años que fueron "cortados" de los 2.300. Restan todavía 1.810 años, que, si se los añade al año 34 d.C. nos llevan a 1844 d.C.

1844 DC Y EL JUICIO INVESTIGADOR

¿Qué dijo el ángel que tendría lugar entonces?

"Y él dijo: Hasta dos mil trescientas tardes y mañanas; luego *el santuario será purificado*" (Daniel 8:14).

Nota.—En otras palabras, la gran obra final de Cristo en favor del mundo, el juicio investigador, comenzaría entonces. El día típico de la expiación de Israel ocupaba solamente un día en el año. Este no puede ocupar sino un tiempo proporcionalmente corto. Esa obra ha estado en marcha durante más de ciento

treinta años, y debe terminar pronto. ¿Quién está preparado para hacer frente a los fallos de este gran tribunal?

¿Mediante qué símbolo se recalca la importancia del mensaje de la hora del juicio?

"Vi volar por en medio del cielo a otro ángel, que tenía el evangelio eterno para predicarlo a los moradores de la tierra, y a toda nación, tribu, lengua y pueblo, diciendo a gran voz: *Temed a Dios, y dadle gloria, porque la hora de su juicio ha llegado*" (Apocalipsis 14:6, 7).

Nota.—El símbolo de un ángel se usa aquí para representar el mensaje del juicio que ha de predicarse a toda nación. Siendo que los ángeles predican sus mensajes mediante agentes humanos, debería entenderse que este símbolo de un ángel que vuela en medio del cielo representa a un gran movimiento religioso que da a los hombres el mensaje de la hora del juicio.

En vista del juicio investigador, ¿qué se nos amonesta que hagamos?

"*Temed a Dios, y dadle gloria*, porque la hora de su juicio ha llegado; *y adorad a aquel que hizo el cielo y la tierra, el mar y las fuentes de las aguas*" (vers. 7).

¿Qué fervorosa amonestación se da mediante el apóstol Pablo?

"Pero Dios, habiendo pasado por alto los tiempos de esta ignorancia, ahora manda a todos los hombres en todo lugar, que se arrepientan; por cuanto ha establecido un día en el cual juzgará al mundo con justicia, por aquel varón a quien designó, dando fe a todos con haberle levantado de los muertos" (Hechos 17:30, 31).

EL SANTUARIO Y SUS DOS DEPARTAMENTOS

¿Qué mandó Dios a Israel, por medio de Moisés, que hiciera?

"Y harán un santuario para mí, y habitaré en medio de ellos" (Éxodo 25:8).

¿Qué se ofrecían en ese santuario?

En "el cual se presentan ofrendas y sacrificios" (Hebreos 9:9).

Además del atrio, ¿cuántos ambientes tenía ese santuario?

"Aquel velo os hará separación entre el lugar santo y el santísimo" (Éxodo 26:33).

Ilustración: Joe Maniscalco

¿Qué había en el primer departamento, o lugar santo?

"Porque el tabernáculo estaba dispuesto así: en la primera parte, llamada el Lugar Santo, estaban el candelabro, la mesa y los panes de la proposición" (Hebreos 9:2). "Puso también el altar de oro en el tabernáculo de reunión, delante del velo" (Éxodo 40:26. Véase también Éxodo 30:1-6).

¿Qué contenía el segundo departamento?

"Tras el segundo velo estaba la parte del tabernáculo llamada el Lugar Santísimo, el cual *tenía un incensario de oro y el arca del pacto* cubierta de oro por todas partes" (Hebreos 9:3, 4. Véase también Éxodo 40:20, 21).

¿Con qué nombre se conocía la cubierta del arca?

"Y pondrás el *propiciatorio* encima del arca, y en el arca pondrás el testimonio que yo te daré" (Éxodo 25:21).

¿Dónde se encontraría Dios con Israel?

"Y de allí me declararé a ti, y hablaré contigo de sobre el propiciatorio, de *entre los dos querubines que están sobre el arca del testimonio*" (vers. 22).

¿Qué había en el arca, bajo el propiciatorio?

"Y escribió en las tablas conforme a la primera escritura, *los diez mandamientos*... Y volví y descendí del monte, y *puse las tablas en el arca* que había hecho" (Deuteronomio 10:4, 5).

¿Cuándo ministraba el sacerdote en el primer departamento?

"Y así dispuestas estas cosas, en la primera parte del tabernáculo entran los sacerdotes continuamente para cumplir los oficios del culto" (Hebreos 9:6).

¿Quién entraba en el segundo departamento? ¿Cuándo y por qué?

"Pero en la segunda parte, sólo el sumo sacerdote una vez al año, no sin sangre, la cual ofrece por sí mismo y por los pecados de ignorancia del pueblo" (vers. 7). ·

EL SERVICIO DIARIO

¿Qué debían hacer los pecadores que deseaban perdón?

"Si alguna persona del pueblo pecare por yerro, haciendo algo contra alguno de los mandamientos de Jehová... traerá por su ofrenda una cabra, una cabra sin defecto, por su pecado que cometió. Y pondrá su mano sobre la *cabeza de la ofrenda de la expiación, y la degollará en el lugar del holocausto*" (Levítico 4:27-29).

Nota.—De acuerdo con esto, si un hombre pecaba en Israel, violaba uno de los Diez Mandamientos que estaban en el arca bajo el propiciatorio. Estos mandamientos eran el fundamento del gobierno de Dios. Violarlos es pecar, y estar así condenado a morir (1 S. Juan 3:4; Romanos 6:23). Pero había un propiciatorio erigido por encima de estos santos y justos mandamientos. En la dispensación de su misericordia Dios concede al pecador el privilegio de confesar sus pecados, y traer un sustituto que satisfaga las demandas de la ley, para obtener así el perdón.

¿Qué se hacía con la sangre de la ofrenda?

"Luego con su dedo el sacerdote tomará de la sangre, y la pondrá sobre los cuernos del altar del holocausto, y *derramará el resto de la sangre al pie del altar*" (vers. 30).

Nota.—Después de que una persona descubría su pecado por la ley que demandaba la muerte del transgresor, traía primeramente su ofrenda, confesaba entonces su pecado a la víctima, transfiriendo así en figura su pecado a la víctima; se mataba enseguida la víctima en el atrio, o parte exterior del santuario, y se ponía su sangre en los cuernos del altar y se la derramaba al pie del altar. De esta manera los pecados eran perdonados y, en el servicio típico, trasferidos al santuario.

EL DÍA DE LA EXPIACIÓN

Después de la acumulación de los pecados del año, ¿qué servicio se realizaba anualmente el décimo día del mes séptimo?

"Y esto tendréis por estatuto perpetuo: En el mes séptimo, a los diez días del mes, afligiréis vuestras almas,... Porque en *este día se hará expiación por vosotros, y seréis limpios de todos vuestros pecados delante de Jehová*" (Levítico 16:29, 30).

¿Cómo habría de ser purificado el santuario mismo, y cómo habrían de deshacerse finalmente de los pecados del pueblo?

"Y tomará [el sumo sacerdote], de parte de la Congregación de los hijos de Israel, dos machos cabríos para ofrenda por el pecado... Luego tomará los dos machos cabríos y los hará colocar delante de Jehová, a la entrada del Tabernáculo de Reunión. Y Aarón echará suertes sobre los dos machos cabríos; *la una suerte para Jehová, y la otra suerte para Azazel*" (vers. 5, 7, 8 VM).

Nota.—La palabra hebrea *Azazel* significa víctima propiciatoria. Se la usa como nombre propio y, de acuerdo con los más antiguos intérpretes hebreos y cristianos, se refiere a Satanás, el ángel que se rebeló y persistió en la rebelión y el pecado.

¿Qué se hacía con la sangre del macho cabrío que tocaba en suerte a Jehová?

"Después degollará el macho cabrío en expiación por el pecado del pueblo, y llevará la sangre detrás del velo adentro,... y *la esparcirá sobre el propiciatorio y delante del propiciatorio*" (vers. 15).

¿Por qué se necesitaba hacer esta expiación?

"Así purificará el santuario, *a causa de las impurezas de los hijos de Israel, de sus rebeliones y de todos sus pecados*" (vers. 16).

Nota.—Los pecados eran transferidos al santuario durante el año mediante la sangre y la carne de las ofrendas por el pecado hechas diariamente a la puerta del tabernáculo. Allí permanecían hasta el día de la expiación, cuando el sumo sacerdote entraba en el Lugar Santísimo con la sangre del macho cabrío que tocaba en suerte a Jehová; y, llevando los pecados acumulados del año y presentándose ante el propiciatorio, allí, en forma simbólica, los expiaba, y así purificaba el santuario.

Después de haber hecho expiación por el pueblo en el lugar santísimo, ¿qué hacía el sumo sacerdote enseguida?

"Cuando hubiere acabado de expiar el santuario y el tabernáculo de reunión y el altar, hará traer el macho cabrío vivo; y pondrá Aarón sus dos manos sobre la cabeza del macho cabrío vivo, y confesará sobre él todas las iniquidades de los hijos de Israel, todas sus rebeliones y todos sus pecados, poniéndolos así sobre la cabeza del macho cabrío, y lo enviará al desierto por mano de un hombre destinado para esto" (vers. 20, 21).

Nota.—La ofrenda del macho cabrío del Señor purificaba el santuario. Por esta ofrenda se expiaban, en forma simbólica, los pecados del pueblo transferidos allí durante el año, pero no eran finalmente eliminados o destruidos por esta ofrenda. La víctima propiciatoria, que representaba a Satanás el gran tentador y originador del pecado, era llevada al santuario, y sobre su cabeza se colocaban estos pecados por los cuales ya se había hecho expiación. Al enviar el macho cabrío al desierto se alejaban del santuario los pecados para siempre.

UNA FIGURA DEL SANTUARIO CELESTIAL

¿Qué era el santuario terrenal y su serie de oficios religiosos?

"Todo ello es *una figura* del tiempo presente" (Hebreos 9:9, BJ).

¿De qué santuario, o tabernáculo, es Cristo el ministro?

"Ministro del santuario, y *de aquel verdadero tabernáculo que levantó el Señor*, y no el hombre" (Hebreos 8:2).

¿De qué era solamente un símbolo la sangre

de todos los sacrificios de la antigua dispensación?

"Y no por sangre de machos cabríos ni de becerros, sino *por su propia sangre*, entró una vez para siempre en el Lugar Santísimo, habiendo obtenido eterna redención" (Hebreos 9:12. Véase Efesios 5:2).

Nota.—A través de los sacrificios y ofrendas que llevaba al altar del santuario terrenal, el creyente arrepentido había de asirse, por la fe, de los méritos de Cristo, el Salvador venidero.

¿En ocasión de la muerte de Cristo, ¿qué milagro indicó que los servicios sacerdotales del santuario terrenal habían terminado?

"Mas Jesús, habiendo otra vez clamado a gran voz, entregó el espíritu. Y he aquí, *el velo del templo se rasgó en dos, de arriba abajo*" (S. Mateo 27:50, 51).

Nota.—El símbolo se había encontrado con la realidad simbolizada: la sombra había dado con la sustancia. Cristo, el gran sacrificio, había sido muerto, e iba a emprender ahora su ministerio como nuestro gran Sumo Sacerdote en el santuario celestial. La obra sacerdotal en el santuario terrenal era una figura de la obra de Cristo en el santuario celestial.

¿Qué relación existe entre el santuario celestial y el terrenal?

"Los cuales sirven a lo que *es figura y sombra de las cosas celestiales*, como se le advirtió a Moisés cuando iba a erigir el tabernáculo, diciéndole: Mira, haz todas las cosas conforme al modelo que se te ha mostrado en el monte" (Hebreos 8:5).

¿Con qué comparación se indica que el santuario celestial sería purificado?

"Fue, pues, necesario que las figuras de las cosas celestiales fuesen purificadas así; pero *las cosas celestiales mismas, con mejores sacrificios que estos*" (Hebreos 9:23).

Cuando Cristo haya concluido su ministerio sacerdotal en el santuario celestial, ¿qué decreto se emitirá?

"El que es injusto, sea injusto todavía; y el que es inmundo, sea inmundo todavía; y el que es justo, practique la justicia todavía; y el que es santo, santifíquese todavía" (Apocalipsis 22:11).

Nota.—Esta declaración se hace inmediatamente antes de la venida de Cristo en las nubes de los cielos.

¿Qué declaración inmediatamente posterior al anuncio mencionado en Apocalipsis 22:11

implica que un juicio ha estado en proceso antes que Cristo venga?

"He aquí yo vengo pronto, *y mi galardón conmigo, para recompensar a cada uno según sea su obra*" (Apocalipsis 22:12).

Nota.—El servicio simbólico del santuario halla su pleno cumplimiento en la obra de Cristo. Como el día de expiación de la antigua dispensación era en realidad un día de juicio, así la obra expiatoria de Cristo incluirá la investigación de los casos de su pueblo antes de su segundo advenimiento para recibirlos consigo.

LA NATURALEZA Y EL TIEMPO DEL MENSAJE

¿Qué visión profética del juicio se le dio a Daniel?

"Estuve mirando hasta que fueron puestos tronos, y se sentó un Anciano de días ... Millares de millares le servían, y millones de millones asistían delante de él; el Juez se sentó, y los libros fueron abiertos" (Daniel 7:9, 10).

¿Qué seguridad del juicio ha dado Dios?

"Por cuanto ha *establecido un día en el cual juzgará al mundo con justicia*, por aquel varón a quien designó, dando fe a todos con haberle levantado de los muertos" (Hechos 17:31).

¿Qué mensaje anuncia que la hora del juicio ha llegado?

"Vi volar por en medio del cielo a otro ángel, que tenía el evangelio eterno para predicarlo a los moradores de la tierra, a toda nación, tribu, lengua y pueblo, diciendo a gran voz: Temed a Dios, y dadle gloria, *porque la hora de su juicio ha llegado*; y adorad a aquel que hizo el cielo y la tierra, el mar y las fuentes de las aguas" (Apocalipsis 14:6, 7).

En vista de la hora del juicio, ¿qué se proclama de nuevo?

"El evangelio eterno" (vers. 6).

¿Cuán extensamente ha de predicarse este mensaje?

"A *toda nación, tribu, lengua y pueblo*" (vers. 6, ú.p.).

¿Qué se llama a hacer a todo el mundo?

"Temed a Dios, y dadle gloria" (vers. 7).

¿Qué razón especial se da para hacer esto?

"*Porque la hora de su juicio ha llegado*" (el mismo vers.).

¿A quién son llamados todos a adorar?

"*Adorad a aquel que hizo el cielo y la tierra*" (el mismo vers.).

Nota.—Hay solamente un Evangelio (Romanos 1:16,17; Gálatas 1:8), anunciado primeramente en el Edén (Génesis 3:15), predicado a Abrahán (Gálatas 3:8) y a los hijos de Israel (Hebreos 4:1, 2), y proclamado de nuevo en cada generación. Su presentación hace frente a las necesidades de cada crisis de la historia del mundo. Juan el Bautista anunciaba en su predicación que el reino de los cielos se había acercado (S. Mateo 3:1, 2), y preparó el camino para el primer advenimiento (S. Juan 1:22, 23). Así, puesto que ha llegado el tiempo del juicio, ante la inminencia del segundo advenimiento de Cristo debe hacerse un anuncio, de alcance mundial, de estos eventos mediante la predicación del Evangelio eterno adaptado para hacer frente a la necesidad de la hora.

¿Qué período profético se extiende hasta el tiempo de la purificación del santuario, por otro nombre designado como el juicio investigador?

"Y él dijo: *Hasta dos mil trescientas tardes y mañanas*; luego el santuario será purificado" (Daniel 8:14).

¿Cuándo expiró este largo período?

En 1844 d.C. (Véase las páginas 71, 72).

Nota.—El período entero se extiende hasta el tiempo de la hora del juicio, inmediatamente antes de la segunda venida de Cristo. Cuando termina, se envía a todo el mundo un mensaje evangélico especial que proclama la llegada de la hora del juicio y amonesta a todos a adorar al Creador. Los hechos de la historia justifican esta interpretación de la profecía, porque en ese preciso tiempo (1844) se está proclamando ese mensaje en diversas partes del mundo. Este fue el comienzo del gran mensaje del segundo advenimiento de Cristo que se está predicando ahora en todo el mundo.

EL LLAMAMIENTO A ADORAR AL CREADOR

¿Cómo se distingue el verdadero Dios de todos los dioses falsos?

"Así les diréis: ¡*Los dioses que no hicieron los cielos y la tierra, perecerán de sobre la tierra..!* Jehová hizo la tierra con su poder, estableció el mundo con su sabiduría, y con su inteligencia extendió los cielos" (Jeremías 10:11,12, VM).

¿Por qué razón es propio que se rinda culto a Dios?

"Porque Jehová es Dios grande, y Rey grande sobre todos los dioses... *Suyo también el mar, pues él lo hizo; y sus manos formaron la tierra seca. Venid, adoremos y postrémonos; arrodillémonos delante de Jehová nuestro Hacedor*" (Salmo 95:3, 5, 6).

¿Por qué adoran a Dios los habitantes del cielo?

"Los veinticuatro ancianos se postran delante del que está sentado en el trono... diciendo: Señor, digno eres de recibir la gloria y la honra y el poder; *porque tú creaste todas las cosas*, y por tu voluntad existen y fueron creadas" (Apocalipsis 4:10, 11).

¿Qué conmemorativo de su poder creador instituyó Dios?

"Recuerda el día del sábado para santificarlo... *Pues en seis días hizo Yahveh el cielo y la tierra, el mar y todo cuanto contienen*, y el séptimo descansó; por eso bendijo Yahveh el día del sábado y lo hizo sagrado" (Éxodo 20:8, 11, BJ).

¿Cuál es una de las funciones del sábado en la obra de la salvación?

"Y les di además mis sábados *como señal* entre ellos y yo, para que supieran que yo soy Yahveh, *que los santifico*" (Ezequiel 20:12, BJ).

LA NORMA PARA TODOS

¿Cuántos están comprometidos en el juicio?

"Porque es necesario que todos nosotros comparezcamos ante el tribunal de Cristo, *para que cada uno reciba según lo que haya hecho mientras estaba en el cuerpo, sea bueno o sea malo*" (2 Corintios 5:10).

¿Cuál será la norma del juicio?

"Porque cualquiera que guardare toda la ley, pero ofendiere en un punto, se hace culpable de todos. Porque el que dijo: No cometerás adulterio, también ha dicho: No matarás. Ahora bien, si no cometes adulterio, pero matas, ya te has hecho transgresor de la ley. Así hablad, y así haced, como los que habéis de ser juzgados por la *ley de la libertad*" (Santiago 2:10-12).

En vista del juicio, ¿qué exhortación se da?

"El fin de todo el discurso oído es este: *Teme a Dios, y guarda sus mandamientos*; porque esto es el todo del hombre. Porque Dios traerá toda obra a juicio, juntamente con toda cosa encubierta, sea buena o sea mala" (Eclesiastés 12:13, 14).

CAPÍTULO 19

El Crecimiento en Cristo

LA MULTIPLICACIÓN DE LA GRACIA

¿Cómo termina el apóstol Pedro su segunda epístola?

"Antes bien, *creced en la gracia* y el conocimiento de nuestro Señor y Salvador Jesucristo" (2 S. Pedro 3:18).

¿Cómo pueden multiplicarse en los creyentes la gracia y la paz?

"Que la gracia y la paz se os multipliquen mediante *el conocimiento de Dios y de nuestro Señor Jesucristo* " (2 S. Pedro 1:2, NC).

¿Qué cosa se halla implícita en el conocimiento de Dios y Cristo Jesús?

"Y *ésta es la vida eterna*; que te conozcan a ti, el único Dios verdadero, y a Jesucristo, a quien has enviado" (S. Juan 17:3).

¿Mediante qué cosas podemos ser participantes de la naturaleza divina?

"Por medio de las cuales nos *ha dado preciosas y grandísimas promesas*, para que por ellas llegaseis a ser participantes de la naturaleza divina, habiendo huido de la corrupción que hay en el mundo por la concupiscencia (2 Pedro 1:4).

LA GRACIA POR ADICIÓN

¿Qué gracias debemos añadir en la edificación de nuestro carácter?

"Vosotros también, poniendo toda diligencia por esto mismo, añadid a vuestra fe *virtud*; a la virtud, *conocimiento*; al conocimiento, *dominio propio*; al dominio propio, *paciencia*; a la paciencia, *piedad*; a la piedad, *afecto fraternal*; y al afecto fraternal, *amor*" (vers. 5-7).

Nota.—*La fe* es el primer peldaño de la escalera cristiana, el primer paso hacia Dios. "Es necesario que el que se acerca a Dios crea" (Hebreos 11:6).

Pero una fe inoperante es inútil. "La fe sin obras es muerta" (Santiago 2:20). Para que tenga valor, a la fe debe añadirse *la virtud o excelencia moral*.

A la excelencia moral debe añadirse el *conocimiento*; de lo contrario, como los judíos que tropezaban, uno puede tener celo, "*pero no conforme a ciencia*" (Romanos 10:2). El fanatismo es el resultado de ese celo. El conocimiento, por lo tanto, es esencial para el sano crecimiento cristiano.

Al conocimiento es necesario añadir el *dominio propio*. El saber hacer el bien y no hacerlo, es tan inútil como la fe sin obras (véase Santiago 4:17).

La paciencia sigue naturalmente al dominio propio. Es poco menos que imposible ser paciente para el que carece de dominio propio.

Habiendo logrado el dominio propio, y llegado a ser paciente, uno está en condición de manifestar *piedad, o semejanza a Dios*.

La bondad hacia los hermanos, o afecto fraternal. Sigue naturalmente a la piedad.

El amor para con todos, aun para con nuestros enemigos, es la gracia culminante, el paso más alto. El peldaño más elevado de la escalera cristiana.

El orden de esta enumeración de las gracias o virtudes no es por cierto casual o fortuito, sino lógico y progresivo, siguiendo una a otra en orden natural y necesario aquí es visible el dedo de la inspiración.

¿Qué se dice del amor en las Escrituras?

"*El amor es sufrido y benigno... no hace caso de un agravio; no se regocija en la injusticia, mas se regocija con la verdad; todo lo sufre, todo lo cree, todo lo espera, todo lo soporta*" (1 Corintios 13:4-7 VM).

"*Y ante todo, tened entre vosotros ferviente amor; porque el amor cubrirá multitud de pecados*" (1 S. Pedro 4: 8).

Lars Justinen

Nota—*Amor y caridad* son traducciones de la misma palabra griega. En lugar de amor unas pocas versiones dicen *caridad*.

¿Cómo se lo llama al amor?

"Y sobre todas estas cosas, revestíos de amor, que es el *vínculo de la perfección*" (Colosenses 3:14 VM).

¿Cuál será el resultado de cultivar estas virtudes?

"Porque si estas cosas están en vosotros, y abundan, *no os dejarán estar ociosos ni sin fruto en cuanto al conocimiento de nuestro Señor Jesucristo*" (2 S. Pedro 1:8).

¿Cuál es la condición del que carece de estas virtudes?

"Pero el que no tiene estas cosas tiene la vista muy corta; es ciego, habiendo olvidado la purificación de sus antiguos pecados" (vers. 9).

¿Qué se promete a los que añaden una gracia o virtud a otra?

"Porque haciendo estas cosas, *no caeréis jamás*" (vers.10).

¿Qué poder hará guerra a la iglesia remanente antes del segundo advenimiento de Cristo?

"Entonces el *dragón* [Satanás] se llenó de ira contra la mujer; y se fue a hacer guerra contra el resto de la descendencia de ella, los que guardan los mandamientos de Dios y tienen el testimonio de Jesucristo" (Apocalipsis 12:17).

¿Qué recompensa se promete al que venciere?

"Al que venciere, *le daré a comer del árbol de la vida*, el cual está en medio del paraíso de Dios" (Apocalipsis 2:7. Véase también Apocalipsis 2:11, 17, 26-28; 3:5, 12, 21). "El que venciere heredará todas las cosas" (Apocalipsis 21:7).

EL LÍDER VICTORIOSO

¿Por medio de quién podemos ser vencedores?

"Antes, en todas estas cosas somos más que vencedores *por medio de aquel que nos amó*" (Romanos 8:37).

¿Quién era el jefe invisible del ejército de Israel?

"Y he aquí un hombre que estaba en pie frente a él, con su espada desenvainada en la mano. Josué entonces fue a él y le dijo: ¿Eres tú de los nuestros, o de nuestros enemigos? Y él respondió: Ninguno de los dos, sino que *soy el Príncipe del ejército de Jehová*; ahora acabo de llegar" (Josué 5:13, 14 VM. Véase también 1 Corintios 10:1-4).

LAS ARMAS PARA LA GUERRA

¿De qué naturaleza son las armas para la guerra del cristiano?

"Porque las armas de nuestra milicia no son carnales, *sino poderosas en Dios para la destrucción de fortalezas*" (2 Corintios 10:4).

¿Qué son capaces de vencer estas armas?

"Derribando *argumentos* y toda altivez que *se levanta contra el conocimiento de Dios*, y llevando cautivo todo pensamiento a la obediencia a Cristo" (vers. 5).

¿Qué debemos colocarnos?

"*Vestíos de toda la armadura de Dios*, para que podáis estar firmes contra las asechanzas del diablo" (Efesios 6:11).

¿Contra qué clase de adversarios tenemos que luchar?

"Porque no tenemos lucha contra sangre y carne, sino *contra principados, contra potestades, contra los gobernadores de las tinieblas de este siglo, contra huestes espirituales de maldad en las regiones celestes*" (vers. 12).

¿Cuáles son algunos elementos de primera importancia de la armadura?

"Estad, pues, firmes, *ceñidos vuestros lomos con la verdad, y vestidos con la coraza de justicia*" (vers. 14).

¿Con qué deben ser calzados los pies?

"Y calzados los pies con el apresto del Evangelio de la paz" (vers. 15. Véase también Efesios 2:14; Santiago 3:18).

¿Qué pieza de la armadura se menciona a continuación como necesaria?

"Sobre todo, tomad *el escudo de la fe*, con que podáis apagar todos los dardos de fuego del maligno" (Efesios 6:16. Véase 1 S. Juan 5:4; Hebreos 11:6).

¿Qué arma debe colocarse el cristiano para protegerse la cabeza?

"Y tomad el *yelmo de la salvación*" (Efesios 6:7).

Nota.—En 1 Tesalonicenses 5:8 al yelmo se lo llama "la *esperanza* de salvación". Se llevaba el yelmo para proteger la cabeza. Así la esperanza de salvación conserva el valor, y ayuda a proteger la vida espiritual del peregrino cristiano cuando el enemigo de la justicia lo acosa.

¿Con qué espada está armado el soldado cristiano?
"*Y tomad la espada del Espíritu, que es la Palabra de Dios*" (Efesios 6:17).

Nota.—Con esta espada Cristo derrotó al enemigo (véase S. Mateo 4:1-11; S. Lucas 4:1-13). Pero nadie puede usar esta espada si no la conoce. De aquí la importancia de estudiar y conocer por uno mismo lo que enseña la Biblia.

LA FIDELIDAD Y LA VICTORIA

¿Con qué palabras se expresan el valor, la fidelidad y la lealtad de la iglesia?
"Y ellos le han vencido por medio de la sangre del Cordero y de la palabra del testimonio de ellos, y *menospreciaron sus vidas hasta la muerte*" (Apocalipsis 12:11).

¿Saldrán victoriosos los leales soldados de Cristo?
"Vi también como un mar de vidrio mezclado con fuego y a los que habían *alcanzado la victoria* sobre la bestia y su imagen, y su marca y el número de su nombre, en pie sobre el mar de vidrio, con las arpas de Dios" (Apocalipsis 15:2).

PROMESAS DE DIOS RESPECTO A LA ORACIÓN

¿Con qué título se dirige el salmista a Dios?
"*¡Oidor de la oración*, a ti vendrá toda carne!" (Salmo 65:2 VM).

¿De quiénes dice la Biblia que Dios es galardonador?
"*Es galardonador de los que le buscan*" (Hebreos 11:6).

¿Cuán dispuesto está Dios a escuchar y contestar la oración?
"Pues si vosotros, siendo malos, sabéis dar buenas dádivas a vuestros hijos, *¿cuánto más vuestro Padre que está en los cielos dará buenas cosas a los que le pidan?*" (S. Mateo 7:11).

¿Qué acto más que cualquier otro revela la buena voluntad de Dios para hacer esto?

"El que no escatimó ni a su propio Hijo, sino que lo entregó por todos nosotros, ¿cómo no nos dará también con él todas las cosas?" (Romanos 8:32).

EL PRIMER PASO EN LA ORACIÓN

¿Bajo qué condiciones se nos prometen las bendiciones necesarias?
"Pedid, y se os dará; buscad, y hallaréis; llamad, y se os abrirá. Porque todo aquel que pide recibe; y el que busca, halla; y al que llama, se le abrirá" (S. Mateo 7:7, 8).

Nota.— "Orar es el acto de abrir nuestro corazón a Dios como a un amigo," (Elena G. de White, *El camino a Cristo*, pág. 93, ed. 1966). La oración no cambia a Dios sino a nosotros y nuestra relación con Dios. Nos coloca en el canal de las bendiciones y en la actitud mental en la cual Dios puede conceder consecuentemente y sin peligro lo que le pedimos.

"¿Cómo oraremos de modo que seamos oídos y recibamos ayuda? En primer lugar debe haber en nuestros corazones un deseo real. Las palabras formales no constituyen la oración. Debemos desear una cosa, y comprender que para obtenerla dependemos de Dios" (J. R. Miller).

¿De quién procede toda buena dádiva y todo don perfecto?
"Toda buena dádiva y todo don perfecto desciende de lo alto, *del Padre de las luces*, en el cual no hay mudanza, ni sombra de variación" (Santiago 1:17).

Si a uno le falta sabiduría, ¿qué se le dice que haga?
"Y si alguno de vosotros tiene falta de sabiduría, *pídala a Dios*, el cual da a todos abundantemente y sin reproche, y le será dada" (vers. 5)

Nota.—"La oración es la llave en la mano de la fe para abrir el almacén del cielo, donde están atesorados los recursos infinitos de la Omnipotencia" (E. G. de White, *El camino a Cristo*, p. 95).

TRES CONDICIONES PARA QUE SE CONTESTE LA ORACIÓN

¿Cómo debe pedir uno a fin de recibir?
"Pero pida *con fe, no dudando nada*; porque el que duda es semejante a la onda del mar, que es arrastrada por el viento y echada de una parte a otra. No piense, pues, quien tal haga, que recibirá cosa alguna del Señor" (vers. 6, 7. Véase S. Marcos 11:24).

¿Baja qué condición dice el salmista que Dios no escucharía la oración?

"Si en mi corazón *hubiese yo mirado a la iniquidad*, el Señor no me habría escuchado" (Salmo 66:18. Véase Isaías 59:1, 2; Santiago 4:3).

¿Las oraciones de quién dice Salomón que son abominables?

"*El que aparta su oído para no oir la ley, su oración también es abominable*" (Proverbios 28:9).

Nota.—Las contiendas y discordias apagan el espíritu de oración (l S. Pedro 3:1-7). Muchos agravian al Espíritu y ahuyentan a Cristo de sus hogares al dar lugar a la impaciencia y la ira. Los ángeles de Dios huyen de los hogares donde se escuchan palabras ásperas y hay contención y refriegas.

¿Por quiénes nos enseñó Cristo a orar?

"Pero yo os digo: Amad a vuestros enemigos, bendecid a los que os maldicen, haced bien a los que os aborrecen, y orad por los que os ultrajan y os persiguen" (S. Mateo 5:44).

Nota.—No podemos odiar a aquellos por quienes oramos sinceramente.

Cuando estemos orando, ¿qué debemos hacer a fin de ser perdonados?

"Y cuando estéis orando, perdonad, *si tenéis algo contra alguno*, para que también vuestro Padre que está en los cielos os perdone a vosotros vuestras ofensas" (S. Marcos 11:25).

EL TIEMPO, EL LUGAR Y EL CONTENIDO DE LA ORACIÓN

¿Qué dijo Cristo concerniente a la oración secreta?

"Mas tú, cuando ores, *entra en tu aposento*, y cerrada la puerta, ora a tu Padre que está en secreto; y tu Padre que ve en lo secreto te recompensará en público" (S. Mateo 6:6).

¿A qué lugar se retiró Jesús para tener su devoción secreta?

"Despedida la multitud, *subió al monte a orar aparte*; y cuando llegó la noche, estaba allí solo" (S. Mateo 14:23).

¿Con qué deben estar mezcladas en la oración nuestras peticiones?

"Por nada estéis afanosos, sino sean conocidas vuestras peticiones delante de Dios *en toda oración y ruego, con acción de gracias*" (Filipenses 4:6).

¿Cuán a menudo deberíamos orar?

"Orando *en todo tiempo* con toda oración y súplica en el Espíritu" (Efesios 6:18). "*Orad sin cesar*" (1 Tesalonicenses 5:17). "*Cada día* te bendeciré, y alabaré tu nombre eternamente y para siempre" (Salmo 145:2).

¿Cuán a menudo dijo el salmista que él oraría?

"*Tarde y mañana y a mediodía* oraré y clamaré, y él oirá mi voz" (Salmo 55:17. Véase Daniel 6:10).

¿En nombre de quién nos enseñó Cristo a orar?

"Y todo lo que pidiereis al Padre *en mi nombre*, lo haré, para que el Padre sea glorificado en el Hijo" (S. Juan 14:13).

¿Por qué el juez injusto le concedió a la viuda lo que pedía?

"Aunque ni temo a Dios, ni tengo respeto a hombre, sin embargo, *porque esta viuda me es molesta*, le haré justicia, no sea que *viniendo de continuo, me agote la paciencia*" (S. Lucas 18:4.

Nota.—La lección de la parábola es que los hombres deben "orar siempre, y no desmayar" (vers. 1). Si esa mujer, por ser persistente en pedir, obtuvo de un hombre semejante lo que solicitaba, seguramente Dios, que es justo, contestará con mucha más razón las oraciones fervientes y perseverantes de su pueblo, aunque la respuesta pueda tardar mucho.

TEMAS DE MEDITACIÓN

¿Cuál era uno de los requerimientos de San Pablo a Timoteo?

"*Medita en estas cosas*, ocúpate enteramente de ellas" (1 Timoteo 4:15, VM).

Nota.—La meditación es para el alma lo que la digestión es para el cuerpo. Asimila, se apropia y transforma en algo personal y práctico lo que se ha visto, oído o leído.

¿Cuándo dijo el salmista que alabaría con labios de júbilo a Dios?

"*Cuando me acuerde de ti en mi lecho*, cuando *medite en ti* en las vigilias de la noche" (Salmo 63:6).

¿Cómo será esa meditación para el que ama a Dios?

"*Dulce* será mi meditación en él" (Salmo 104:34).

¿En qué dice el salmista que el varón bienaventurado se deleita y medita?

"En la ley de Jehová está su delicia, y en su ley medita de día y de noche" (Salmo 1:2).

LA TENTACIÓN Y LA MEDITACIÓN

¿Con qué adversario tenemos que luchar constantemente?

"Sed sobrios, y velad; *porque vuestro adversario el diablo,* como león rugiente, anda alrededor buscando a quien devorar" (1 S. Pedro 5:8).

¿Cuándo es tentado el hombre?

"Sino que cada uno es tentado, *cuando de su propia concupiscencia es atraído y seducido*" (Santiago 1:14).

¿Qué se nos dice que hagamos para no ser vencidos?

"*Velad y orad, para que no entréis en tentación;* el espíritu a la verdad está dispuesto, pero la carne es débil" (S. Mateo 26:41).

LA NECESIDAD DE UNA CONSTANTE ACTITUD DE ORACIÓN

¿Cuán constantemente debiéramos velar?

"*Orad sin cesar*" (1 Tesalonicenses 5:17). "*Constantes en la oración*" (Romanos 12:12).

Nota.—Esto no significa que deberíamos estar constantemente postrados delante de Dios en oración, sino que no debemos descuidar la oración, y que debemos estar siempre con disposición mental de oración —aun mientras caminamos en la calle o estamos empeñados en los trabajos de la vida—, siempre listos para elevar nuestras peticiones al cielo en procura de ayuda en el momento necesario.

LA PREPARACIÓN PARA EL REGRESO DE CRISTO

Para que podamos estar preparados para su venida, ¿qué amonestación nos dio Cristo?

"*Mirad, velad y orad*; porque no sabéis cuándo será el tiempo... Y lo que a vosotros digo, a todos lo digo: *Velad*" (S. Marcos 13:33-37. Véase también S. Lucas 21:36).

¿Por qué la vigilancia y la oración son especialmente imperativas en los últimos días?

"¡Ay de los moradores de la tierra y del mar! Porque el diablo ha descendido a vosotros con gran ira, sabiendo que tiene poco tiempo" (Apocalipsis 12:12).

LA CAPACIDAD ILIMITADA DE DIOS

¿Cómo se anticipa Dios a las necesidades de sus hijos?

"Y antes que clamen, responderé yo; *mientras aún hablan, yo habré oído*" (Isaías 65:24).

¿Tiene algún límite la capacidad de Dios para ayudar?

"Y a Aquel que es poderoso para hacer todas las cosas *mucho más abundantemente de lo que pedimos o entendemos*" (Efesios 3:20).

¿Cuán plenamente ha prometido Dios suplir nuestras necesidades?

"Mi Dios, pues, *suplirá todo lo que os falta* conforme a sus riquezas en gloria en Cristo Jesús" (Filipenses 4:19).

EL ENTENDIMIENTO LIMITADO DEL HOMBRE

¿Sabemos siempre lo que debemos pedir en oración?

"Y de igual manera el Espíritu nos ayuda en nuestra debilidad; *pues qué hemos de pedir como conviene, no lo sabemos*" (Romanos 8:26).

¿Considera Dios conveniente concedernos siempre lo que pedimos?

"A lo cual tres veces he rogado al Señor, que lo quite de mí. Y me ha dicho: Bástate mi gracia; porque mi poder se perfecciona en la debilidad" (2 Corintios 12:8, 9).

Nota.—Algunos han pensado que el achaque de Pablo era un deterioro de la vista (Hechos 9:8, 9,18; 22:11-13). La conservación de tal imperfección le recordaría constantemente su conversión, y sería para él por lo tanto, una bendición disfrazada.

LA PACIENCIA Y LA PERSEVERANCIA

Si no recibimos enseguida una respuesta, ¿qué debemos hacer?

"Confía calladamente en Jehová, y *espérale con paciencia*" (Salmo 37:7, VM).

¿Por qué fue dada la parábola de la viuda importuna?

"También les refirió Jesús una parábola sobre *la necesidad de orar siempre, y no desmayar*" (S. Lucas 18:1).

Nota.—Se le concedió a la viuda importuna su petición debido a su perseverancia. Dios desea que al orar, lo busquemos, y que *lo busquemos fervientemente.*

Él es galardonador de los que lo buscan *diligentemente* (Hebreos 11:6).

¿Cómo oró Elías antes de recibir lo que pedía?

"Elías era hombre sujeto a pasiones semejantes a las nuestras, y *oró fervientemente* para que no lloviese, y no llovió sobre la tierra por tres años y seis meses. Y otra vez oró, y el cielo dio lluvia, y la tierra produjo su fruto" (Santiago 5:17,18. Véase Apocalipsis 11:3-6).

DOS CONDICIONES FUNDAMENTALES

¿Bajo qué condición dice Cristo que recibiremos lo que pidiéremos?

"Por tanto, os digo que todo lo que pidiereis orando, *creed que lo recibiréis, y os vendrá*" (S. Marcos 11:24).

Sin esta fe, ¿contestará Dios la oración?

"*Pero pida con fe, no dudando nada*; porque el que duda es semejante a la onda del mar, que es arrastrada por el viento y echada de una parte a otra. *No piense, pues, quien tal haga, que recibirá cosa alguna del Señor*" (Santiago 1:6, 7).

¿Qué peticiones podemos esperar confiadamente que Dios atenderá?

"Y esta es la confianza que tenemos en él, *que si pedimos alguna cosa conforme a su voluntad*, él nos oye. Y si sabemos que él nos oye en cualquiera cosa que pidamos, sabemos que tenemos las peticiones que le hayamos hecho" (1 S. Juan 5:14, 15).

Nota.—La voluntad de Dios está expresada en su ley, sus promesas, y su Palabra (Salmo 40:8, Romanos 2:17,18; 1 S. Pedro 1:4).

EJEMPLOS DE ORACIONES CONTESTADAS

Cuando Daniel y sus compañeros iban a ser muertos porque los sabios de Babilonia no pudieron revelarle a Nabucodonosor su sueño, ¿cómo contestó Dios las oraciones unidas de ellos?

"*Entonces el secreto fue revelado a Daniel en visión de noche*, por lo cual bendijo Daniel al Dios del cielo" (Daniel 2:19).

Nota.—En 1839 el sultán de Turquía decretó que ningún representante de la religión cristiana permaneciera en el imperio. Al saber esto, el Dr. Guillermo Goodell, un misionero norteamericano en Turquía, fue a la casa de su amigo y colega el Dr. Ciro Hamlin, primer director del Colegio Robert, de Constantinopla, con las tristes nuevas: "Estamos liquidados; tenemos que irnos. El cónsul norteamericano y el embajador británico dicen que no vale la pena oponerse a este monarca violento y vengativo". A esto el Dr. Hamlin contestó: "El Sultán del universo puede, en respuesta a la oración, cambiar el decreto del Sultán de Turquía". Entonces decidieron orar. Al día siguiente el sultán murió, y el decreto nunca se aplicó (véase Daniel 4:17, 24, 25).

Cuando el apóstol Pedro estaba encarcelado y a punto de ser ejecutado, ¿qué hacía la iglesia?

"Así que Pedro estaba custodiado en la cárcel; *pero la iglesia hacía sin cesar oración a Dios por él*" (Hechos 12:5).

¿Cómo fueron contestadas sus oraciones?

"Y he aquí que se presentó un ángel del Señor, y ... le dijo: Envuélvete en tu manta, y sígueme... y salidos, pasaron una calle, y luego el ángel se apartó de él" (vers. 7, 8,10).

Porqué Salomón pidió sabiduría en lugar de larga vida y riquezas, ¿qué le dio Dios además de sabiduría?

"Y aún también te ha dado las cosas que no pediste, *riquezas y gloria*" (1 Reyes 3:13).

Nota.—Las siguientes son algunas de las cosas que las Escrituras nos enseñan a pedir o por las cuales podemos orar:

(1) El pan cotidiano (S. Mateo 6:11). (2) El perdón de los pecados (2 Crónicas 7:14; Salmo 32:5, 6; 1 S. Juan 1:9; 5:16). (3) El Espíritu Santo (S. Lucas 11:13; Zacarías 10:1; S. Juan 14:16). (4) Liberación en la hora de tentación y peligro (S. Mateo 6:13; S. Juan 17:11,15; Proverbios 3:26; Salmo 91; S. Mateo 24:20). (5) Sabiduría y entendimiento (Santiago 1:5; 1 Reyes 3:9; Daniel 2:17-19). (6) Vidas tranquilas y sosegadas (1 Timoteo 2:1, 2). (7) Sanidad de la enfermedad (Santiago 5:14,15; 2 Reyes 20:1-11). (8) La prosperidad de los ministros de Dios y del Evangelio (Efesios 6:18,19; Colosenses 4:3; 2 Tesalonicenses 3:1). (9) Por los que sufren por causa de la verdad (Hebreos 13:3; Hechos 12:5). (10) Por los reyes, por los gobernantes y por todos los que están en cargos de autoridad (1 Timoteo 2:1, 2; Esdras 6:l0). (11) Prosperidad temporal (2 Corintios 9:10; Santiago 5:17,18). (12) Por nuestros enemigos (S. Mateo 5:44). (13) Por la venida de Cristo y el reino de Dios (S. Mateo 6:10; Apocalipsis 22:20).

CAPÍTULO 20

El Pueblo de Dios

LA MUJER VESTIDA DEL SOL

¿Bajo qué figura le fue presentada la iglesia cristiana al apóstol Juan?

"Apareció en el cielo una gran señal: *una mujer vestida del sol*, con la luna debajo de sus pies, y sobre su cabeza una corona de doce estrellas" (Apocalipsis 12:1).

Nota.—Frecuentemente se usa en las Escrituras una mujer para representar a la iglesia. (Véase Jeremías 6:2; 2 Corintios 11:2.) El sol representa la luz del Evangelio con la cual la iglesia fue revestida en ocasión del primer advenimiento de Cristo (1 S. Juan 2:8); la luna debajo de sus pies, la luz menguante de la dispensación anterior; y las doce estrellas, los doce apóstoles.

¿Cómo se describe a la iglesia en ocasión del primer advenimiento?

"Y estando encinta, clamaba con dolores de parto, en la angustia del alumbramiento" (vers. 2).

Nota.—La iglesia sufre trabajo y dolor mientras da a luz a Cristo y a los hijos de ella, en medio de aflicciones y persecuciones. (Véase Romanos 8:19, 22; l S. Juan 3:1, 2; 2 Timoteo 3:12.)

¿Cómo se describe brevemente el nacimiento, la obra y la ascensión de Cristo?

"Y ella dio a luz un hijo varón, que regirá con vara de hierro a todas las naciones; y su hijo fue arrebatado para Dios y para su trono" (vers. 5).

EL GRAN DRAGÓN ESCARLATA

¿Qué otra señal, o prodigio, apareció en el cielo?

"También apareció otra señal en el cielo: he aquí un *gran dragón escarlata*, que tenía siete cabezas y diez cuernos, y en sus cabezas siete diademas; y su cola arrastraba la tercera parte de las estrellas del cielo, y las arrojó sobre la tierra. Y el dragón se paró frente a la mujer que estaba para dar a luz, a fin de devorar a su hijo tan pronto como naciese" (vers. 3, 4).

¿Quién se dice que es este dragón?

"Y fue lanzado fuera el gran dragón, la serpiente antigua, que se llama *diablo y Satanás*, el cual engaña al mundo entero" (vers. 9).

Nota.—En primer lugar el dragón representa a Satanás, el gran enemigo y perseguidor de la iglesia a lo largo de todos los siglos. Pero Satanás obra por medio de principados y potestades en sus esfuerzos por destruir al pueblo de Dios. Por medio de un rey romano, el rey Herodes, trató de destruir a Cristo no bien hubo nacido (S. Mateo 2:16). Por lo tanto también Roma debía estar simbolizada por el dragón. Las siete cabezas del dragón representan, según algunos, las "siete colinas" sobre las cuales está edificada la ciudad de Roma; según otros, las siete formas de gobierno por las cuales pasó Roma; y todavía según otros, y de manera más general, las siete grandes monarquías que han oprimido al pueblo de Dios, a saber Egipto, Asiria, Caldea, Persia, Grecia, Roma pagana y Roma papal. Nótese que según cada una de estas interpretaciones, Roma está representada e incluida. (Véanse las págs. 210, 211.) Los diez cuernos, como en la cuarta bestia de Daniel 7, se refieren evidentemente a los reinos en los cuales Roma fue dividida finalmente, y así de nuevo se identifica al dragón con el poder romano.

¿Cómo se describe el conflicto entre Cristo y Satanás?

"Después hubo una gran batalla en el cielo: Miguel y sus ángeles luchaban contra el dragón; y luchaban el dragón y sus ángeles; pero no prevalecieron, ni se halló ya lugar para ellos en el cielo. Y fue lanzado fuera el gran dragón, la serpiente antigua, que se llama diablo y Satanás, el cual engaña al mundo entero; fue arrojado a la tierra, y sus ángeles fueron arrojados con él" (vers. 7-9).

Nota.—Este conflicto, que comenzó en el cielo, continúa en la tierra. Casi al final de su ministerio, Cristo dijo: "Yo veía a Satanás caer del cielo como un rayo" (S. Lucas 10:18). "Ahora es el juicio de este mundo; ahora el príncipe de este mundo sería echado fuera" (S. Juan 12:31). Cuando crucificó a Cristo, Satanás fue expulsado de los concilios en que se congregaban los representantes de los diversos mundos, en los cuales era admitido anteriormente como el príncipe de este mundo (Job 1:6, 7; 2:1, 2).

¿Qué grito de triunfo se oyó en el cielo después de la victoria de Cristo?

"Entonces oí una gran voz en el cielo, que decía: *Ahora ha venido la salvación, el poder, y el reino de nuestro Dios, y la autoridad de su Cristo;* porque ha sido lanzado fuera el acusador de nuestros hermanos, el que los acusaba delante de nuestro Dios día y noche... Por lo cual alegraos, cielos, y los que moráis en ellos" (vers. 10, 12).

PERSECUCIÓN EN LA TIERRA

Por qué se pregonó un "¡Ay del mundo!" en esa misma ocasión?

" ¡Ay de los moradores de la tierra y del mar! *porque el diablo ha descendido a vosotros con gran ira, sabiendo que tiene poco tiempo*" (vers. 12, ú.p.).

Nota.—Esto no solamente muestra que, desde la crucifixión de Cristo, Satanás sabe que su suerte está sellada, y que él tiene sólo un tiempo limitado en el cual obrar, sino también que sus esfuerzos se circunscriben ahora, por completo, a este mundo y se concentran en sus habitantes. Mejor que muchos cristianos profesos, Satanás sabe que el tiempo es corto.

¿Qué hizo Satanás cuando fue arrojado a la tierra?

"Y cuando vio el dragón que había sido arrojado a la tierra, *persiguió a la mujer* que había dado a luz al hijo varón" (vers. 13).

Nota.—La persecución de los cristianos comenzó bajo la Roma pagana, pero fue continuada en forma mucho más extensa bajo la Roma papal (S. Mateo 24:21, 22).

¿Qué periodo de extensión definida se designó a esta gran persecución del pueblo de Dios bajo la Roma papal?

"Y se le dieron a la mujer las dos alas de la gran águila, para que volase de delante de la serpiente al desierto, a su lugar, donde es sustentada *por un tiempo, y tiempos, y la mitad de un tiempo*" (vers. 14).

Nota.—Este es el mismo período que se menciona en Daniel 7:25, y, como los diez cuernos, identifica al dragón con la cuarta bestia de Daniel 7, y su obra posterior con la obra del cuerno pequeño de esa bestia. En Apocalipsis 13:5 se lo menciona como "cuarenta y dos meses", y en Apocalipsis 12:6 como 1.260 días, los cuales representan 1.260 años literales, el período asignado a la supremacía de la Roma papal. Comenzando en 538 d.C., el período terminó en 1798, cuando el Papa fue tomado preso por los franceses. (Véase la nota de la pág. 173.) El vuelo de la mujer al desierto describe acertadamente la condición de la iglesia durante aquellos tiempos de cruel persecución.

¿Cuál era el propósito de Satanás al perseguir así a la iglesia?

" Y la serpiente arrojó de su boca, tras la mujer, *agua como un río, para que fuese arrastrada por el río*" (vers. 15).

¿Cómo fue impedida la inundación, y frustrado el designio de Satanás?

"*Pero la tierra ayudó a la mujer*, pues la tierra abrió su boca y tragó el río que el dragón había echado de su boca" (vers. 16).

Nota.—Las fortalezas de las montañas, los refugios tranquilos y los valles apartados de Europa ampararon durante siglos a muchos que rehusaron lealtad al papado. Aquí pueden verse también los resultados de la Reforma del siglo XVI, cuando algunos de los gobernantes de Europa acudieron en ayuda de diversos grupos reformados, deteniendo la mano de la persecución y protegiendo la vida de los que osaban tomar partido en contra del papado. El descubrimiento de América y la apertura del país del norte como asilo para los oprimidos de Europa en ese tiempo, puede también incluirse en la "ayuda" a la cual se refiere esta profecía.

¿Cuál dijo Cristo que sería el resultado si los días de persecución no eran acortados?

"Y si aquellos días no fuesen acortados, *nadie sería salvo*; mas por causa de los escogidos, aquellos días serán acortados" (S. Mateo 24:22).

Todavía empeñado en perseguir, ¿cómo manifiesta Satanás su enemistad contra la iglesia remanente?

"Entonces el dragón se llenó de ira contra la mujer; *y se fue a hacer guerra contra el resto de la descendencia de ella, los que guardan los mandamientos de Dios y tienen el testimonio de Jesucristo*" (Apocalipsis 12:17).

UNA AMONESTACIÓN CONTRA EL CULTO FALSO

¿Qué indica que los mensajes de la hora del juicio y de la caída de Babilonia son dos partes de un mensaje triple?

"Y *el tercer ángel los siguió*" (Apocalipsis 14:9 p.p.).

¿Qué apostasía del culto de Dios se menciona aquí?

"Si alguno *adora a la bestia y a su imagen, y recibe la marca en su frente o en su mano*" (el mismo vers., ú.p.).

¿Cuál habrá de ser la suerte de los que, en lugar de adorar a Dios, se comprometen en este culto falso?

"*Él también beberá del vino de la ira de Dios, que ha sido vaciado puro en el cáliz de su ira*; y será atormentado con fuego y azufre delante de los santos ángeles y del Cordero; y el humo de su tormento sube por los siglos de los siglos. Y no tienen reposo de día ni de noche los que adoran a la bestia y a su imagen, ni nadie que reciba la marca de su nombre" (vers. 10,11. Véase Isaías 33:13; 34:1-10; Hebreos 12:29).

¿Cómo se describe a los que prestan atención a esta amonestación?

"Aquí está la paciencia de los santos, los que guardan los mandamientos de Dios y la fe de Jesús" (vers. 12).

¿A QUIÉN REPRESENTA LA BESTIA?

¿Cómo se describe la bestia contra cuya adoración se da este mensaje final de amonestación?

"Me paré sobre la arena del mar, y vi subir del mar una bestia que tenía siete cabezas y diez cuernos; y en sus cuernos diez diademas; y sobre sus cabezas, un nombre blasfemo. Y la bestia que vi era semejante a un leopardo, y sus pies como de oso, y su boca como boca de león. Y el dragón le dio su poder y su trono, y grande autoridad" (Apocalipsis 13:1, 2).

Nota.—En esta bestia mixta que surge del mar se combinan los símbolos del capítulo siete de Daniel, que representan a los imperios romano, grecomacedónico, medopersa y babilónico. Sus palabras blasfemas, su persecución de los santos y el tiempo que se le concede (vers. *5-7*) muestran que esta bestia, bajo las manifestaciones de una de sus siete cabezas, es idéntica al cuerno pequeño de la visión de Daniel 7, y simboliza a la Babilonia moderna, el papado.

Adorar a la bestia es rendir al papado el homenaje que se debe sólo a Dios. El sistema religioso puesto en vigor por el papado contiene el de Babilonia, Persia, Grecia y Roma, como lo indica la naturaleza mixta.

LA BESTIA DE DIEZ CUERNOS DE APOCALIPSIS 13

¿Cuál es el primer símbolo de Apocalipsis 13?

"Me paré sobre la arena del mar, y vi subir del mar una bestia *que tenía siete cabezas y diez cuernos*; y en sus cuernos diez diademas; y sobre sus cabezas, un nombre blasfemo" (Apocalipsis 13:1).

Nota.—Como ya descubrimos por el estudio del libro de Daniel, una bestia en las profecías representa algún gran poder o reino terrenal; una cabeza o cuerno, un poder gobernante; las aguas, "pueblos, muchedumbres, naciones y lenguas" (Apocalipsis 17:15).

"Las bestias de Daniel y de Juan son imperios. La bestia con diez cuernos es el poder romano... La cabeza es el poder gobernante del cuerpo. Las cabezas de esta bestia representan gobiernos sucesivos" (H. Grahan Guinness, *Romanism and the Reformation*, pp. 144, 145).

¿Cómo se describe adicionalmente esta bestia?

"Y *la bestia que vi era semejante a un leopardo, y sus pies como de oso, y su boca como boca de león*" (vers. 2, p.p.).

Nota.—Estas son las características de los tres primeros símbolos de Daniel 7 —el león, el oso y el leopardo, que representan los reinos de Babilonia, Medopersia y Grecia— y sugieren que esta bestia representa o pertenece al reino simbolizado por la cuarta bestia de Daniel 7, o Roma. Ambas tienen diez cuernos. Como el dragón de Apocalipsis 12, ésta también tiene siete cabezas, pero así como el dragón simbolizaba a Roma en su totalidad, particularmente en su fase pagana, ésta, como el "cuerno pequeño" que sale entre los diez cuernos de la cuarta bestia de Daniel 7, representa a Roma en su forma posterior o papal. Como el cuerno pequeño, tiene "una boca" que habla grandes cosas ambos hacen guerra contra los santos; ambos actúan durante el mismo período.

Concediéndole un significado muy amplio al símbolo, la versión de Douay, Biblia Católica Inglesa, en una nota sobre Apocalipsis 13:1 explica las siete cabezas de esta bestia como sigue: "Las siete cabezas son siete reyes, es decir, siete reinos o imperios principales, que han ejercido, o ejercerán, poder tiránico sobre el pueblo de Dios: de éstos, cinco habían caído, a saber las monarquías egipcia, asiria, caldea, persa y griega; uno estaba presente entonces, el imperio de Roma; y el séptimo o principal estaba por venir, esto es el gran Anticristo y su imperio, que la séptima cabeza representa al Anticristo, o papado, puede haber pocas dudas.

EL DRAGÓN DA SU LUGAR A LA BESTIA

¿Qué le dio el dragón a esta bestia?

"Y el dragón le dio *su poder* y *su trono*, y grande *autoridad*" (vers. 2, ú.p.).

Nota.—Es un hecho histórico indiscutible que. bajo los últimos emperadores romanos posteriores a Constantino, fue cambiada la religión pagana del Imperio Romano por la religión papal; que los obispos de Roma recibieron ricos dones y gran autoridad de parte de Constantino y los emperadores subsiguientes; que después del año 476 d.C. el obispo de Roma llegó a ser el poder más influyente en Roma Occidental y que en 533 fue declarado por Justiniano "cabeza de todas las santas iglesias", y "corrector de herejes". "El traslado en el año 330, de la capital del Imperio [la ciudad] de Roma a [la de] Constantinopla, dejó a la Iglesia de Occidente prácticamente libre del poder imperial, [y libre] para desarrollar su propia forma de organización, El obispo de Roma, en la silla de los césares, era ahora el hombre más grande del Occidente, y pronto (cuando los bárbaros invadieron el imperio) fue forzado a llegar a ser tanto la cabeza política como la espiritual" (A. C. Flick, *The Rise of the Medieval Church* [El surgimiento de la iglesia medieval], ed. 1909, de Putnam, p. 168).

Así llegó la Roma pagana a ser la Roma papal; se unieron la Iglesia y el Estado, y el poder perseguidor del dragón fue conferido a la profesa cabeza de la iglesia de Cristo, la Roma papal. "El Papa, quien se llama a sí mismo 'Rey y Pontífice Máximo', es el sucesor de César" (Adolf Harnack, *What is Christianity?* [¿Qué es cristianismo?], Putnam, ed. 1903, p. 270).

¿Cómo se describen, la naturaleza, la obra, el período de supremacía y el gran poder de la bestia?

"También se le dio boca que hablaba grandes cosas y blasfemias; y se le dio autoridad para actuar cuarenta y dos meses. Y abrió su boca en blasfemias contra Dios, para blasfemar de su nombre, de su tabernáculo, y de los que moran en el cielo. Y se le permitió hacer guerra contra los santos, y vencerlos. También se le dio autoridad sobre toda tribu, pueblo, lengua y nación" (vers. 5-7).

Nota.—Todas estas especificaciones se han cumplido plena y exactamente en el papado, y evidencian que esta bestia representa al mismo poder que está simbolizado por la etapa del cuerno pequeño de la cuarta bestia de Daniel 7, y por el cuerno pequeño de Daniel 8, en sus rasgos principales y esenciales, y en su obra. (Véanse Daniel 7:25; 8:11,12, 24,25).

LA HERIDA DE LA BESTIA

¿Qué iba a suceder con una de las cabezas de esta bestia?

"Vi una de *sus cabezas como herida de muerte*, pero su herida mortal fue sanada; y se maravilló toda la tierra en faz de la bestia" (vers. 3).

Nota.—La "herida de muerte" infligida a la cabeza papal de esta bestia se produjo cuando los franceses entraron en Roma en 1798, y tomaron preso al papa, eclipsando por un tiempo el poder del papado y privándolo de sus facultades temporales. De nuevo en 1870 se le quitó al papado su dominio temporal, y el papa se consideraba a sí mismo como el prisionero del Vaticano. Para 1929 la situación había cambiado hasta el punto de que el cardenal Gasparri y el primer ministro Mussolini se entrevistaron en el histórico palacio de San Juan de Letrán para arreglar la devolución, por largo tiempo disputada, del poder temporal al papado, con lo que se llegó a "curar una herida de 59 años" (*The Catholic Advocate* [Australia], Abril 18,1929, pág. 16).

La primera página del *San Francisco Chronicle* del 12 de febrero de 1929, tiene fotografías del cardenal Gasparri y Mussolini firmando el Concordato, con el encabezamiento "Sana una herida de muchos años". El despacho de Associated Press dice: "Al colocar las firmas en el memorable documento, se exhibió extrema cordialidad por ambas partes". Va a adquirir el papado finalmente tal posición de influencia sobre las naciones que, justamente antes de su caída y destrucción, dirá: "Yo estoy sentada como reina, y no soy viuda, y no veré llanto" (Apocalipsis 18:7. Véanse Isaías 47:7-15; Apocalipsis 17:18).

¿Qué se dice de la cautividad y ruina del papado?

"Si alguno lleva en cautividad, va en cautividad; si alguno mata a espada, a espada debe ser muerto" (vers. 10).

¿Qué preguntas indican la alta posición del poder representado por esta bestia?

"Y adoraron al dragón que había dado autoridad a la bestia, y adoraron a la bestia, diciendo: *¿Quién como la bestia, y quién podrá luchar contra ella?*" (vers. 4).

¿Cuán universal llegará a ser la adoración de este poder?

"Y la adoraron todos los moradores de la tierra cuyos nombres no estaban escritos en el libro de la vida del Cordero que fue inmolado desde el principio del mundo" (vers. 8).

LA DESTRUCCIÓN DE LA BESTIA

¿Cuál dijo Juan que ha de ser el fin de esta bestia?

"Y la bestia fue apresada, y con ella el falso profeta que había hecho delante de ella las señales... *Estos dos fueron lanzados vivos dentro de un lago de fuego que arde con azufre*" (Apocalipsis 19:20. Véase Isaías 47:7-15; 2 Tesalonicenses 2:3-8; Apocalipsis 17:16, 17; 18:4-8).

¿Cuál es la suerte final de la cuarta bestia de Daniel 7?

"Yo entonces miraba a causa del sonido de las grandes palabras que hablaba el cuerno; miraba hasta que mataron a la bestia, y su cuerpo fue *destrozado y entregado para ser quemado en el fuego*" (Daniel 7:11).

APARECE OTRA BESTIA

¿Cuándo fue herida la cabeza papal de la primera bestia de Apocalipsis 13?

En 1798, cuando el papado fue temporariamente derrocado por los franceses, bajo el General Berthier. (Véase el estudio precedente.)

¿Qué vio el profeta subir en ese tiempo?

"Después *vi otra bestia que subía de la tierra*; y tenía dos cuernos semejantes a los de un cordero, pero hablaba como dragón" (Apocalipsis 13:11).

Nota.—Juan Wesley, en su nota sobre Apocalipsis 13:11, escrita en 1754, dice de la bestia de dos cuernos: "Ella no ha venido todavía, aunque no puede demorar mucho, porque debe aparecer al fin de los cuarenta y dos meses de la primera bestia" (*Explanatory Notes Upon the New Testament* [Notas explicatorias sobre el Nuevo Testamento], ed. 1791, t. 3, p. 299).

La bestia anterior salió del "mar", que indica su surgimiento entre los pueblos y naciones del mundo que existían entonces (Apocalipsis 17:15), mientras que esta última potencia sale de la "tierra", donde no había anteriormente "pueblos, muchedumbres, naciones y lenguas". En 1798, cuando el poder papal recibió su herida de muerte, los Estados Unidos, situados en el hemisferio occidental, era la única gran potencia mundial que adquiría prominencia en territorio no ocupado previamente por pueblos, muchedumbres y naciones. Sólo nueve años antes, en 1789, los Estados Unidos adoptaron su Constitución nacional. Es, por lo tanto, en el territorio de los Estados Unidos donde podemos mirar en busca del cumplimiento de esta profecía.

El eminente predicador norteamericano De Witt Talmage basó su sermón "América para Dios" en el texto de Apocalipsis 13:11, interpretando la bestia de dos cuernos semejantes a los de un cordero como símbolo de los Estados Unidos. "¿Es razonable —dijo—suponer que Dios dejaría fuera de las profecías de su libro todo este hemisferio occidental? ¡No, No!" (Véase sus *500 Sermones selectos*, tomo 2 (1900), p. 9).

¿Cuál es la naturaleza de este nuevo poder?

"Tenía *dos cuernos semejantes a los de un cordero*" (vers. 11).

Nota.—¡Con cuánto acierto se caracteriza a los Estados Unidos en estas palabras! Las naciones del pasado, descritas en la Biblia como bestias de presa, estaban llenas de intolerancia, persecución y opresión. En agudo contraste, los Estados Unidos fueron fundados sobre los principios de la libertad, la igualdad y la tolerancia. Los hombres que habían huido de las tribulaciones del Viejo Mundo estaban resueltos a que estos sufrimientos no se repitiesen en el Nuevo.

Los principios de la libertad civil y religiosa que forjaron la grandeza de los Estados Unidos fueron incorporados en la carta fundamental de la nación desde su mismo comienzo. Citamos a continuación parte de las primeras Enmiendas de la Constitución, conocidas comúnmente como la Declaración de Derechos:

Artículo 1. "El Congreso no dictará ley alguna respecto al establecimiento de una religión, o que prohíba el libre ejercicio de ella; o prive de la libertad de palabra o de prensa; o del derecho del pueblo a reunirse pacíficamente, y de peticionar al gobierno la reparación de agravios".

Artículo IV. "No se violará el derecho del pueblo a la seguridad, contra irrazonables indagaciones y confiscaciones de su persona, sus casas, documentos y bienes".

Artículo V. "Ninguna persona ... estará sujeta por un mismo delito a que se ponga en peligro dos veces su vida o miembro alguno, ni será obligada en ningún caso criminal a testificar contra sí misma; ni será privada de la vida, la libertad, o propiedad, sin el debido proceso legal; ni será tomada la propiedad privada para uso público sin justa compensación".

Por estos principios han luchado y muerto los hombres. Por ellos han contendido valientemente los hombres de Estado a lo largo de la historia de la nación. Por estas libertades millones están hoy dispuestos a sacrificar aun la vida misma.

SE OYE DE NUEVO LA VOZ DEL DRAGÓN

No obstante la apariencia de este poder, ¿qué sucederá finalmente?

"Pero *hablaba como dragón*" (vers. 11).

Nota.—La voz del dragón es la voz de la intolerancia y la persecución. Es repulsivo para la mente del norteamericano pensar que la persecución religiosa pueda echar a perder el hermoso registro de la nación sobre la más amplia libertad. Pero a través de toda la historia del país, desde su misma fundación, los hombres de Estado de larga visión han reconocido que la tendencia a imponer dogmas religiosos mediante la ley civil es demasiado común en la humanidad, y está expuesta a estallar en activa persecución en lugares inesperados, a menos que se esté específicamente en guardia contra ella.

Dijo Tomás Jefferson, en el comienzo mismo de la existencia de la nación: "El espíritu de los tiempos puede cambiar, cambiará. Nuestros gobernantes llegarán a ser corruptos, nuestro pueblo, descuidado, un solo fanático puede comenzar la persecución, y los mejores hombres ser sus víctimas" (*Notes on Virginia*, Pregunta XVII, en *The Works* of Thomas Jefferson, ed. Ford, 1904-05, t. 4, pp. 81, 82).

En una carta al rabino Mordecail M. Noah, este mismo gran americano escribió: "Su secta ha proporcionado por sus sufrimientos una notable prueba del espíritu universal de tolerancia religiosa, inherente en toda secta... Nuestras leyes han aplicado el único antídoto del vicio... Pero queda mucho por hacer; porque aunque somos libres por la ley, no lo somos en la práctica; la opinión pública se erige por sí misma en una Inquisición, y ejerce su función con tanto fanatismo como el de los que atizaban las llamas de un auto de fe" (Carta a Mordecai M. Noah, 28 de mayo, 1818, *Thomas Jefferson Papers*, t. 213, p. 37988, en División Manuscrita, Biblioteca del Congreso).

Para honor de la nación, debería decirse que nobles hombres de Estado han mantenido en jaque por largo tiempo la tendencia que Tomás Jefferson previó que obraría en los organismos políticos. Pero ningún norteamericano puede cerrar sus ojos al hecho de que, a la par de estos nobles esfuerzos, se han hecho otros por mal orientados dirigentes religiosos para lograr la observancia civil forzosa de prácticas religiosas.

¿Cuánto poder ejercerá esta bestia?

"Y ejerce toda la autoridad de la primera bestia en presencia de ella, y hace que la tierra y los moradores de ella adoren a la primera bestia, cuya herida mortal fue sanada" (vers. 12).

Nota.—"La primera bestia en presencia de ella", Roma papal, ejerció el poder de perseguir a quienes diferían de ella en materia religiosa.

¿Qué medios serán usados para guiar de vuelta al pueblo al culto falso?

"Y engaña a los moradores de la tierra con las señales que se le ha permitido hacer en presencia de la bestia" (vers. 14, p.p.).

¿Qué propondrá este poder que haga el pueblo?

"Mandando a los moradores de la tierra que le hagan imagen a *la* bestia que tiene la herida de espada, y vivió" (vers. 14, ú.p.).

Nota.—"La bestia que tiene la herida de espada, y vivió", es el papado. Esa era una iglesia que dominaba al poder civil, una unión de Iglesia y Estado, que imponía sus dogmas religiosos por el poder civil, por confiscación, encarcelamiento y muerte. Una imagen de la bestia debería ser otra organización eclesiástica revestida de poder civil —otra unión de la Iglesia y el Estado— que imponga la religión por ley.

ABOGADOS DE LA LEY DOMINICAL

¿Revela la historia de los Estados Unidos que las organizaciones religiosas han intentado conseguir leyes que incluyan la religión?

Organizaciones como la Asociación Nacional de Reforma, la Federación Internacional de Reforma, la Alianza Estadounidense del Día del Señor, y el Comité de Nueva York del Día de Reposo han trabajado durante años para lograr una legislación dominical. Ellos consiguen a menudo la ayuda de grupos civiles.

¿Qué ha ordenado el papa a todos los católicos que hagan en cuanto al gobierno?

"Primero, y sobre todo, es deber de todos los católicos dignos del nombre y deseosos de ser reconocidos como los más amados hijos de la Iglesia, ... esforzarse por traer de vuelta toda sociedad civil al modelo y la forma del cristianismo que hemos descrito" (*The Great Encyclical Letters of Leo XIII* [Las grandes encíclicas de León XIII]. "Encíclica *Inmortale Dei*, 1.° de noviembre, 1885", p. 132).

Nota.—El 7 de septiembre de 1947, el papa Pío XII hizo la siguiente declaración: "Pasó el tiempo de la reflexión y los planes en el campo de la religión y la moral, y ha llegado 'el tiempo de la acción' ". Y dijo, además, que "la batalla en el campo de la religión y la moral gira alrededor de cinco puntos: la enseñanza religiosa, la santificación del domingo, la salvación de la familia cristiana, la justicia social y la lealtad en el trato mutuo, (*Evening Star,* Washington, D. C., 8 de septiembre, 1947).

El 31 de mayo de 1998, el papa Juan Pablo II pidió a los cristianos mantener el domingo como un día sagrado, aunque ello signifique ir en contra de una sociedad que lo considera sólo parte del fin de semana.

Juntamente con su mensaje leído, el Vaticano difundió una carta apostólica del Papa llamada *"Dies dommini"* (Día del Señor), en la que se enfatiza la observancia del domingo, con la santidad e instrucciones dadas para la observancia del sábado en las Sagradas Escrituras. En esta carta, se sugiere que los gobiernos civiles deben garantizar la observancia del domingo a los trabajadores. El impacto de este nuevo énfasis en la observancia del domingo sólo se podrá ver en los años venideros (Ver: *CNNenEspañol.com*, 5 de julio, 1998).

El papa advierte que la crisis de la observancia del domingo refleja la crisis de la Iglesia Católica y del cristianismo en general.

¿Qué argumentos se han presentado en favor de leyes dominicales?

"Para que el día pueda dedicarse con menos interrupción a los fines del culto". "Para que la devoción de los fieles pueda estar libre de toda perturbación" (Augusto Neander, *General History of the Christian Religion and Church*, traducción de Torrey, 3a. ed. americana, tomo 2, pág. 301).

Nota.—En los siglos IV y V, las exhibiciones y teatros dominicales obstaculizaban según se decía, "la devoción de los fieles", porque muchos de los miembros asistían a ellos con preferencia sobre los oficios religiosos de la iglesia. La iglesia, por lo tanto, exigió que el Estado interviniera y promoviera por la ley la observancia del domingo. "De esta manera —dice Neander—, la Iglesia recibió ayuda del Estado para el logro de sus fines" (*Id.*, pp. 300, 301). Esta unión de la Iglesia y el Estado sirvió para establecer el poder del papado. El seguir ahora una conducta similar producirá los mismos resultados.

"Por la suposición sin fundamento de que el séptimo día, apartado y establecido en la ley, ha sido reemplazado de alguna manera por el primer día, reconocido en el Evangelio, se ha promulgado una buena cantidad de leyes perjudiciales con el pretexto de santificar el día de reposo y honrar a Dios. Personas que tienen un conocimiento profundo de la verdad, están dispuestas a forzar las Escrituras y recurrir a la ignorancia popular a fin de salirse con la suya. Semejante conducta es indigna de una causa buena.

"Este error tiene su origen en la inicua unión de la Iglesia y el Estado, y es una reliquia de ese sistema opresivo... En el uso corriente la así llamada legislación del día de reposo no se aplica en absoluto al día de reposo bíblico, sino al primer día de la semana. El efecto práctico de semejante legislación es generalmente la anulación del mandamiento divino, y la colocación de un reglamento humano en su lugar. La depravada suposición en la que se basa semejante legislación es que la ley divina puede ser cambiada o enmendada por la promulgación de leyes humanas. En miles de mentes no tiene hoy día ningún efecto la ley de Dios concerniente al día de reposo, debido a la así llamada legislación del día de reposo promulgada por gobiernos civiles. Tal legislación empequeñece la autoridad de Jehová" J. J. Taylor [escritor bautista], *The Sabbatic Question* [El problema del día de reposo], Nueva York: Fleming H. Revell, 1914, pp. 5, 52, 58).

PRIMERAS Y RECIENTES LEYES DOMINICALES

¿Quiénes son responsables de las actuales leyes dominicales estatales de los Estados Unidos?

"Durante casi toda nuestra historia americana las iglesias han influido en los Estados para hacer y fomentar leyes tocante al día de reposo" (W. F. Crafts en *Christian Statesman*, 3 de julio, 1890, pág. 5).

Nota.—Estas leyes dominicales son una supervivencia de la completa unión de la Iglesia y el Estado que existía al fundarse las colonias. "Tales leyes [como la ley dominical de Maryland de 1723] eran resultado del sistema de intolerancia religiosa que prevalecía en muchas de las colonias" (Decisión de la Corte de Apelaciones del Distrito de Columbia, 21 de enero, 1908, en *Washington Law Reporter*, 14 de febrero, 1908, p. 103).

La primera ley dominical impuesta en una colonia americana (Virginia, 1610) requirió la ayuda de la iglesia, y prescribía la pena capital para la tercera falta. (Véase Peter Force, *Tracts Relating to the Colonies in North America*, ed. 1844, tomo 3, N° 2, p. 11.)

¿Por qué se reclama una ley dominical nacional?

"La legislación dominical nacional es necesaria para hacer completas y efectivas las leyes de los Estados", dicen sus defensores.

Nota.—Las leyes del Estado que ponen en vigor un día religioso son vestigios de una unión de la Iglesia y el Estado que nos vienen de los tiempos de la colonia. Pero la nación cuyos principios fundamentales de libertad civil y religiosa son adecuadamente simbolizados por dos cuernos semejantes a los de un cordero, no ejercerá "toda la autoridad de la primera bestia" ni requerirá que los hombres "adoren a la primera bestia, cuya herida mortal fue sanada" mientras no abandone el principio de la separación de Iglesia y Estado hasta el punto de poner en vigor requerimientos religiosos a nivel nacional. La realización de lo antedicho constituirá una "imagen", o semejanza, de la primera bestia.

CAPÍTULO 21

Seguridad Financiera

LA PORCIÓN DE DIOS Y SU PROPÓSITO

¿Cuál es una de las maneras en que se nos ordena que honremos a Dios?

"*Honra a Jehová con tus bienes, y con las primicias de todos tus frutos*" (Proverbios 3:9).

¿Qué porción de nuestros ingresos reclama el Señor especialmente como suyo?

"*Y el diezmo* [la décima parte] *de la tierra,* así de la simiente de la tierra como del fruto de los árboles, *de Jehová es; es cosa dedicada a Jehová*" (Levítico 27:30).

¿Para el sostén de quiénes y para qué obra se dedicaba el diezmo en Israel?

"Y he aquí yo he dado *a los hijos de Leví* todos los diezmos en Israel por heredad, *por su ministerio, por cuanto ellos sirven en el ministerio del tabernáculo de reunión*" (Números 18:21).

¿Cómo dice San Pablo que debe ser sostenido el ministerio evangélico?

"Si nosotros sembramos entre vosotros lo espiritual, ¿es gran cosa si segáremos de vosotros lo material?... ¿No sabéis que los que trabajan en 1as cosas sagradas, comen del templo, y que los que sirven al altar, del altar participan? *Así también ordenó el Señor a los que anuncian el evangelio que vivan del evangelio*" (1 Corintios 9:11, 14).

LA BASE FUNDAMENTAL DEL PAGO DEL DIEZMO

¿En qué se basa el requerimiento de pagar el diezmo?

"*De Jehová es la tierra* y su plenitud; el mundo, y los que en él habitan" (Salmo 24:1).

¿Quién da al hombre poder para adquirir riquezas?

"Antes bien, te acordarás de Jehová tu Dios porque él es quien *te da poder para adquirir riquezas*" (Deuteronomio 8:18, VM).

¿Qué declaración de Cristo muestra que el hombre no es el dueño original sino un administrador de los bienes de Dios?

"Porque el reino de los cielos es como un hombre que yéndose lejos, llamó a sus siervos y *les entregó sus bienes*" (S. Mateo 25:14. Véase 1 Corintios 4:7).

HISTORIA DEL PAGO DEL DIEZMO

¿Cuán temprano en la historia del mundo se menciona el pago del diezmo?

" Porque este Melquisedec, rey de Salem, sacerdote del Dios Altísimo, ... salió a recibir a Abraham que volvía de la derrota de los reyes y *le bendijo, a quien asimismo dio Abraham los diezmos de todo*" (Hebreos 7:1, 2. Véase Génesis 14:17-20).

¿Qué voto hizo Jacob en Betel?

"E hizo Jacob voto, diciendo: Si fuere Dios conmigo, y me guardare en este viaje en que voy, y me diere pan para comer y vestido para vestir, y si volviere en paz a casa de mi padre, Jehová será mi Dios. Y... *de todo lo que me dieres, el diezmo apartaré para ti*" (Génesis 28:20-22).

MALDICIÓN O BENDICIÓN

¿De qué es culpable uno si retiene los diezmos y las ofrendas voluntarias?

"¿Robará el hombre a Dios? Pues vosotros me habéis robado. Y dijisteis: ¿En qué te hemos robado? *En vuestros diezmos y ofrendas*" (Malaquías 3:8).

¿Concerniente a qué nos pide el Señor que lo probemos, y bajo qué condiciones promete grandes bendiciones?

"Traed todos los diezmos al alfolí y haya alimento en mi casa; y probadme ahora en esto, dice Jehová de los ejércitos, si no os abriré las ventanas de los cielos, y derramaré sobre vosotros bendición hasta que sobreabunde. Reprenderé también por vosotros al devorador, y no os destruirá el fruto de la tierra, ni vuestra vid en el campo será estéril, dice Jehová de los ejércitos" (vers. 10, 11).

UNA DISTINCIÓN EN DIEZMOS Y OFRENDAS

¿Con qué cosas ha ordenado Dios que sea sostenida su obra?

"Diezmos y ofrendas" (Malaquías 3:8).

¿Con qué se nos dice que acudamos a sus atrios?

"Traed ofrendas, y venid a sus atrios" (Salmo 96:8).

Nota.—En la Biblia se mencionan diversas ofrendas, tales como ofrendas de agradecimiento, ofrendas de paz, ofrendas por el pecado, ofrendas por la culpa.

¿Qué instrucción dio Dios a su pueblo antiguamente con las tres fiestas anuales?

"Tres veces en el año me celebraréis fiesta... *Y ninguno se presentará delante de mí con las manos vacías"* (Éxodo 23:14, 15).

OFRENDAS ACEPTABLES

¿Con qué espíritu quiere Dios que demos?

"Cada uno dé como propuso en su corazón: no con tristeza, ni por necesidad, porque *Dios ama al dador alegre"* (2 Corintios 9:7).

¿Qué ha dicho Cristo en cuanto al dar?

"Más bienaventurado es dar que recibir" (Hechos 20:35).

¿De acuerdo con qué regla se ordenó a los israelitas que dieran?

"Cada uno traerá según su mano pudiere dar, conforme a la bendición que Jehová tu Dios te haya dado" (Deuteronomio 16:17, VM. Compárese con 1 Corintios 16:2).

¿Sobre qué base las ofrendas son aceptables a Dios?

"Porque si primero hay la voluntad dispuesta, será acepta *según lo que uno tiene*, no según lo que no tiene" (2 Corintios 8:12).

¿Qué orden se le indicó a Timoteo que diera a los ricos?

"A los ricos de este siglo manda que no sean altivos, ni pongan la esperanza en las riquezas. Las cuales son inciertas, sino en el Dios vivo, que nos da todas las cosas en abundancia para que las disfrutemos. *Que hagan bien, que sean ricos en buenas obras, dadivosos, generosos*; atesorando para sí buen fundamento para lo por venir, que echen mano de la vida eterna" (I Timoteo 6:17-19).

¿Cómo considera Dios semejante proceder?

"Mas del bien hacer, y de la comunicación de beneficios, no os olvidéis; *porque en los tales sacrificios Dios se complace mucho"* (Hebreos 13:16, VM).

EL CASO DEL AVARO

¿Con quiénes coloca el apóstol a los avaros?

"Los fornicarios de este mundo, ... los avaros, ... los ladrones, ... los idólatras" (1 Corintios 5:10).

¿Qué amonestación dio Cristo contra la avaricia?

"Mirad, y *guardaos de toda avaricia*; porque la vida del hombre no consiste en la abundancia de los bienes que posee" (S. Lucas 12:15).

¿Cómo consideró Dios en la parábola al rico egoísta?

"Pero Dios le dijo: *Necio*, esta noche vienen a pedirte tu alma; y lo que has provisto, ¿de quién será?" (vers. 20).

¿Cómo aplica Cristo esta parábola?

"Así es el que hace para sí tesoro, y no es para con Dios" (vers. 21. Véase 1 Timoteo 6:7).

TESOROS EN EL CIELO

¿Cómo pueden colocar los hombres su tesoro el cielo?

"Vended lo que poseéis, y dad limosna; haced bolsas que no se envejezcan, tesoro en los cielos que no se agote, donde ladrón no llega, ni polilla destruye" (S. Lucas 12:33. Véase l Timoteo 6:7).

¿Cómo se sabe dónde está nuestro corazón?

"Porque donde está vuestro tesoro, allí estará también vuestro corazón" (S. Lucas 12:34).

Salud Vibrante

¿Qué le deseaba el apóstol Juan a Gayo?

"Amado, *yo deseo que tú seas prosperado en todas las cosas, y que tengas salud*, así como prospera tu alma" (3 S. Juan 2).

¿Qué le prometió Dios a su pueblo antiguamente?

"Mas a Jehová vuestro Dios serviréis, y él bendecirá tu pan y tus aguas*; y yo quitaré toda enfermedad de en medio de ti*" (Éxodo 23:25).

¿Bajo qué condiciones se les prometió que estarían libres de enfermedades?

"*Si oyeres atentamente la voz de Jehová tu Dios, e hicieres lo recto delante de sus ojos, y dieres oído a sus mandamientos, y guardares todos sus estatutos*, ninguna enfermedad de las que envié a los egipcios te enviaré a ti; porque yo soy Jehová tu sanador" (Éxodo 15:26).

¿Qué dice el salmista que hace el Señor en favor de su pueblo?

"Él es quien perdona todas tus iniquidades, *el que sana todas tus dolencias*" (Salmo 103:3).

¿En qué consistió una gran parte del ministerio de Cristo?

"El cual anduvo haciendo bienes por todas partes, *y sanando a todos los oprimidos del diablo*" (Hechos 10:38, VM. Véase S. Lucas 13:16). "Y recorrió Jesús toda Galilea,... *sanando toda enfermedad y toda dolencia en el pueblo*" (S. Mateo 4:23).

LA BIBLIA HABLA DE NUESTRO CUERPO

¿Por qué debería conservarse la salud del cuerpo?

"Porque habéis sido comprados por precio; *glorificad, pues, a Dios en vuestro cuerpo* y en vuestro espíritu, los cuales son de Dios" (1 Corintios 6:20).

¿Qué se dice que es el cuerpo del creyente?

"¿O ignoráis que vuestro *cuerpo es templo del Espíritu Santo*, el cual está en vosotros, el cual tenéis de Dios, y que no sois vuestros?" (vers. 19).

PRINCIPIOS SOBRE ALIMENTACIÓN, NO COSTUMBRES ALIMENTARIAS

¿Qué ejemplo nos dejó Daniel en este asunto?

"Y Daniel propuso en su corazón *no contaminarse con la porción de la comida del rey, ni con el vino que él bebía*" (Daniel 1:8).

¿Qué clase de alimento pidió él que se les proveyera?

"Te ruego que hagas la prueba con tus siervos por diez días, *y nos den legumbres a comer, y agua a beber*" (vers. 12).

Toda persona tiene la responsabilidad de proteger y fomentar su salud. Esto requiere vigilancia y esfuerzo, pero vale la pena hacerlo ya que una persona sana goza más de la vida.

¿Qué régimen alimentario se le prescribió originalmente al hombre?

"Y dijo Dios: He aquí que os he dado *toda planta que da semilla, que está sobre toda la tierra, y todo árbol en que hay fruto y que da semilla os serán para comer*" (Génesis 1:29).

¿Por qué restringió el Señor el régimen alimentario de los hebreos?

"*Porque eres pueblo santo a Jehová tu Dios, y Jehová te ha escogido para que le seas un pueblo único de entre todos los pueblos que están sobre la tierra. Nada abominable comerás*" (Deuteronomio 14:2, 3).

Nota.—El alimento que comemos afecta tanto nuestra mente como nuestro cuerpo.

EL DESCANSO, LA ALEGRÍA Y UN PROPÓSITO ELEVADO

¿Qué influencia tiene la alegría sobre la salud?
"El corazón alegre *constituye buen remedio*" (Proverbios 17:22).

¿Cómo proporcionó descanso el Salvador a sus discípulos?
"Él les dijo: Venid vosotros aparte a un lugar desierto, *y descansad un poco*" (S. Marcos 6:31).

¿Cómo se nos exhorta a presentar nuestros cuerpos a Dios?
"Os ruego ... *que presentéis vuestros cuerpos en sacrificio vivo, santo, agradable a Dios*" (Romanos 12:1).

¿Qué elevado propósito debería controlar nuestros hábitos de vida?
"Si, pues, coméis o bebéis, o hacéis otra cosa, *hacedlo todo para la gloria de Dios*" (1 Corintios 10:31).

LA NATURALEZA Y LA NECESIDAD DE LA TEMPERANCIA

¿Acerca de qué razonó Pablo ante Félix?
"Pero al disertar Pablo acerca de la justicia, *del dominio propio y del juicio venidero...*" (Hechos 24:25).

¿De qué es fruto la temperancia?
"Mas *el fruto del Espíritu es* amor, gozo, paz, paciencia, benignidad, bondad, fe, mansedumbre, *templanza*; contra tales cosas no hay ley" (Gálatas 5:22, 23).
Nota.—"La temperancia pone leña en el fuego, alimento en el barril, harina en la vasija, dinero en el bolso, crédito en el país, contentamiento en el hogar, vestido en la espalda, vigor en el cuerpo"—BENJAMÍN FRANKLIN.

¿Dónde es puesta la temperancia en la escalera del crecimiento cristiano del apóstol Pedro?
"Vosotros también, poniendo toda diligencia por esto mismo, añadid a vuestra fe virtud; a la virtud, conocimiento; al conocimiento, *dominio propio*; al dominio propio, paciencia; a la paciencia, piedad; a la piedad, afecto fraternal; y al afecto fraternal, amor (2 Pedro 1:5-7).
Nota.—La temperancia está colocada aquí en el orden correcto. Conocimiento es el prerrequisito para la temperancia, y temperancia para la paciencia. Es muy difícil para una persona intemperante ser paciente.

¿Qué dice a aquellos que procuran la excelencia?

"Todo aquel que lucha, *de todo se abstiene*" (1 Corintios 9:25).

EL CUERPO Y EL DOMINIO PROPIO

¿Qué dijo el apóstol Pablo que él hacía para correr la carrera cristiana?
"*Mas venzo mi cuerpo, y lo tengo en sujeción*; no sea que de algún modo, habiendo predicado a los demás, yo mismo sea rechazado por indigno" (1 Corintios 9:27, VM).
Nota.—La verdadera temperancia consiste en la total abstención de todo lo nocivo, y en el uso moderado de lo saludable o bueno. Pero desde el punto de vista cristiano tiene mayor significado todavía, debido a su relación con virtudes como el dominio propio, por ejemplo, y con el sentido de responsabilidad, los cuales se ven amenazados con la intemperancia. Por eso todo cristiano genuino necesita comprender sus alcances y practicarla.

¿Por qué se amonesta a los reyes y gobernantes a ser temperantes?
"No es de los reyes, oh Lemuel, no es de los reyes beber vino, ni de los príncipes la sidra; no sea que bebiendo olviden la ley, y perviertan el derecho de todos los afligidos" (Proverbios 31:4, 5).

¿Por qué se les prohibía a los sacerdotes el uso de bebidas intoxicantes mientras ministraban en el santuario?
"Y Jehová habló a Aarón, diciendo: Tú, y tus hijos contigo, no beberéis vino ni sidra cuando entréis en el tabernáculo de reunión,... *para poder discernir entre lo santo y lo profano, y entre lo inmundo y lo limpio*" (Levítico 10:8-10).

¿Por qué es peligroso el consumo de bebidas alcohólicas?
"No os embriaguéis con vino, *en lo cual hay disolución*; antes bien sed llenos del Espíritu" (Efesios 5:18).

Ilustración: Lars Justinen

¿Para qué deben comer y beber los hombres?

"¡Dichosa eres, oh tierra, cuando tu rey es hijo de nobles, y tus príncipes comen a debido tiempo; *para reponer sus fuerzas*, y no para hacer festín!" (Eclesiastés 10:17, VM).

Ilustración: Lars Justinen

PRIMERAS INSTRUCCIONES DIVINAS SOBRE LA DIETA

¿Cuál fue la primera dieta provista para el hombre?

"Y dijo Dios: *He aquí que os he dado toda planta que da semilla, que está sobre toda la tierra, y todo árbol en que hay fruto y que da semilla*; os serán para comer" (Génesis 1:29).

Nota. –En otras palabras, vegetales, granos, frutas y nueces.

¿Después del diluvio qué otro alimento fue indicado como permitido?

"*Todo lo que se mueve y vive*, os será para mantenimiento: así como las legumbres y plantas verdes, os lo he dado todo" (Génesis 9:3).

Nota. –Es evidente que la carne no estaba incluida en la dieta original provista para el hombre, pero por las condiciones cambiantes resultado de la caída y del diluvio, su uso fue permitido. Noé entendió la diferencia entre animales limpios e inmundos, un número más grande de animales limpios fueron guardados a salvo en el arca. Vea Génesis 7:2.

CUATRO JOVENES INTRÉPIDOS PONEN A PRUEBA LA TEMPERANCIA

¿Por qué rechazó Daniel el alimento y el vino del rey?

"Daniel *propuso en su corazón no contaminarse* con la porción de la comida del rey, ni con el vino que él bebía" (Daniel 1:8. Véase Jueces 13:4).

En lugar de eso, ¿qué pidió?

"Te ruego que hagas la prueba con tus siervos por diez días y *nos den legumbres a comer, y agua a beber*" (vers. 12).

LA BUENA SALUD Y LA TEMPERANCIA CRISTIANA

Al fin de los diez días de prueba, ¿cómo parecían él y sus compañeros?

"Y al cabo de los diez días pareció el rostro de *ellos mejor y más robusto que el de los otros muchachos* que comían de la porción de la comida del rey" (vers. 15).

Al fin de su curso de tres años en la escuela de Babilonia, ¿cómo se comparaba la sabiduría de Daniel y sus compañeros con la de los otros?

"Pasados, pues, los días ... el rey habló con ellos, y no fueron hallados entre todos ellos otros como Daniel, Ananías, Misael y Azarías... En todo asunto de sabiduría e inteligencia que el rey les consultó, *los halló diez veces mejores* que todos los magos y astrólogos que había en todo su reino" (vers. 18-20).

EL COMIENZO Y EL FIN DE LOS BORRACHOS

¿Qué advertencia se hace a los que inducen a otros a la intemperancia?

"¡Ay del que da a beber a su prójimo! ¡Ay de ti, que le acercas tu hiel, y le embriagas!" (Habacuc 2:15).

¿Con qué clase de cristianos profesos no debemos juntarnos?

"Más bien os escribí que no os juntéis con ninguno que, llamándose hermano, fuere fornicario, o avaro, o idólatra, o maldiciente, o *borracho*" (1 Corintios 5:11).

¿Pueden los borrachos entrar en el reino de Dios?

"Ni los fornicarios, ni los idólatras,... ni los ladrones, ni los avaros, *ni los borrachos*, ni los maldicientes, ni los estafadores, heredarán el reino de Dios" (1 Corintios 6:9, 10. Véase Apocalipsis 21:27).

¿Qué comprendía la perfección del carácter por la cual oraba el apóstol?

"Y el mismo Dios de paz os santifique por completo; *y todo vuestro ser, espíritu, alma y cuerpo, sea guardado irreprensible* para la venida de nuestro Señor Jesucristo" (1 Tesalonicenses 5:23).

Nota. Como ejemplos bíblicos de total abstinencia, véanse el de la esposa de Manoa, madre de Sansón (Jueces 13:4, 12-14); de Ana, la madre de Samuel (1 Samuel 1:15); de los recabitas (Jeremías 35:1-10), y de Juan el Bautista (S. Lucas 1:13-15).

CAPÍTULO 23

El Espíritu Santo y su Obra

EL CONSOLADOR

¿Qué preciosa promesa hizo Cristo a sus discípulos poco antes de su crucifixión?

"Y yo rogaré al Padre, y os dará *otro Consolador*, para que *esté con vosotros* para siempre" (S. Juan 14:16).

¿Por qué era necesario que Cristo se fuese?

"Pero yo os digo la verdad: Os conviene que yo me vaya; *porque si no me fuese, el Consolador no vendría a vosotros*; mas si me fuere, os lo enviaré" (S. Juan 16:7).

¿Quién es el Consolador, y qué habría de hacer

"Mas el Consolador, el Espíritu Santo, a quien el Padre enviará en mi nombre, *él os enseñará todas las cosas*, y os recordará todo lo que yo os he dicho" (S. Juan 14:26).

¿Qué otra cosa haría el Consolador?

Y cuando él venga, *convencerá al mundo de pecado, de justicia y de juicio*" (S. Juan 16:8).

EL ESPÍRITU DE VERDAD

¿Con qué otro título se designa al Consolador?

"Pero cuando venga el Consolador, a quien yo os enviaré del Padre, *el Espíritu de verdad, el cual procede del Padre, él dará testimonio acerca de mí*" (S. Juan 15:26).

¿Qué dijo Cristo que haría el Espíritu de verdad?

"Pero cuando venga el Espíritu de verdad, *él os guiará a toda la verdad;* porque no hablará por su propia cuenta, sino que hablará todo lo que oyere, y os hará saber las cosas que habrán de venir" (S. Juan 16:13).

Nota.—El Espíritu *habla* (1 Timoteo 4:1); enseña, (1 Corintios 2:13); da testimonio (Romanos 8:16); intercede (vers. 26); reparte los dones (1 Corintios 12:11); e invita al pecador (Apocalipsis 22:17).

¿Por qué el mundo no lo puede recibir?

"El Espíritu de verdad, al cual el mundo no puede recibir, *porque no le ve, ni le conoce*" (S. Juan 14:17).

¿Qué dijo Cristo que el Espíritu Santo revelaría?

"Él me glorificará; porque *tomará de lo mío, y os lo hará saber*" (S. Juan 16:14).

Nota.—Según estos pasajes bíblicos es claro que el Espíritu Santo es el representante personal de Cristo en la tierra, y permanece en la iglesia morando en el corazón de los creyentes. Es evidente entonces que cualquier intento de constituir a un hombre como vicegerente de Cristo en lugar de la tercera persona de la Deidad es un intento de colocar al hombre en el lugar de Dios.

¿Cómo ha revelado Dios las cosas profundas de su reino?

"Pero a nosotros nos las ha revelado Dios *por medio de su Espíritu*; porque el Espíritu escudriña todas las cosas, y aun las cosas profundas de Dios" (1 Corintios 2:10, VM).

¿Por quién fueron inspirados los profetas al dar sus mensajes?

"Porque nunca la profecía fue traída por voluntad humana, sino que los santos hombres de Dios hablaron siendo inspirados por el Espíritu Santo" (2 S. Pedro 1:21).

Después de Pentecostés, ¿cómo fue predicado el Evangelio a los hombres?

"Por el Espíritu Santo enviado del cielo" (1 S. Pedro 1:12).

LA UNIÓN DEL CIELO CON LOS CREYENTES

¿Cuán íntima es su unión con los creyentes?
"Pero vosotros le conocéis, *porque mora con vosotros, y estará en vosotros*" (S. Juan 14:17).

¿Quién viene a los creyentes mediante el Espíritu Santo?
"No os dejaré huérfanos; *vendré a vosotros*" (vers. 18).

¿Qué promesa se cumple así?
"*Y he aquí yo estoy con vosotros todos los días*, hasta el fin del mundo" (S. Mateo 28:20. Véase también S. Juan 14:21-23).

¿Qué triple unión se establece así?
"En aquel día vosotros conoceréis que *yo estoy en mi Padre*, y *vosotros en mí*, y *yo en vosotros*" (S. Juan 14:20).

Nota.—Romanos 8:9 muestra que el espíritu de cada una de las tres personas de la Deidad es uno y el mismo espíritu.

UNA AMONESTACIÓN

¿Qué amonestación por lo tanto se da?
"*Y no contristéis al Espíritu Santo de Dios*, con el cual fuisteis sellados para el día de la redención" (Efesios 4:30).

¿Tienen límites las luchas del Espíritu de Dios con el corazón del hambre?
"Y dijo Jehová: Mi Espíritu no contenderá para siempre con el hombre en su error" (Génesis 6:3, VM).

Nota.—El límite lo determina la criatura más bien que el Creador. Lo hace cuando se entrega enteramente al mal, y los llamamientos adicionales serían inútiles. Dios, previendo todas las cosas, puede asignarle al hombre un período definido de gracia, como en el caso de los ciento veinte años anteriores al diluvio (Génesis 6:3); pero su Espíritu nunca cesa de luchar con el hombre mientras haya para él esperanza de salvación.

¿Qué pidió David en oración?
"No me eches de delante de ti, y *no quites de mí tu santo Espíritu*" (Salmo 51:11).

LA BUENA VOLUNTAD E INVITACIÓN DEL CIELO

¿Cuán dispuesto está Dios a darnos el Espíritu Santo?

"Pues si vosotros, siendo malos, sabéis dar buenas dádivas a vuestros hijos, ¿cuánto más vuestro Padre celestial dará el Espíritu Santo a los que se lo pidan?" (S. Lucas 11:13).

¿Cómo trata Jesús, mediante el Espíritu, de entrar en cada corazón?
"*He aquí, yo estoy a la puerta y llamo*; si alguno oye mi voz y abre la puerta, entraré a *él, y* cenaré con él, y él conmigo" (Apocalipsis 3:20).

¿Cuál es el fruto del Espíritu?
"Mas el fruto del Espíritu es amor, gozo, paz, paciencia, benignidad, bondad, fe, mansedumbre, templanza" (Gálatas 5:22, 23).

¿Cuáles son las obras de la carne?
"Y manifiestas son las obras de la carne, que son: adulterio, fornicación, inmundicia, lascivia, idolatría, hechicerías, enemistades, pleitos, celos, iras, contiendas, disensiones, herejías, envidias, homicidios, borracheras, orgías, y cosas semejantes a éstas" (vers. 19-21).

Nota.—Los males mencionados aquí son muy semejantes a los que se indican en S. Mateo 15:18, 19; S. Marcos 7:20-23; Romanos 1:29-31; y 2 Timoteo 3:1-5.

¿Cómo pueden evitarse las obras de la carne?
"*Andad en el Espíritu*, y no satisfagáis los deseos de la carne" (Gálatas 5:16).

EL FRUTO DEL AMOR

¿Por quién es derramado el amor de Dios en el corazón?
"El amor de Dios ha sido derramado en nuestros corazones por el Espíritu Santo que nos fue dado" (Romanos 5:5).

¿Qué se declara que es el amor?
"Y sobre todas estas cosas, revestíos de amor, que es el *vínculo de la perfección*" (Colosenses 3:14, VM).

¿Cuál es la fuerza impulsora de la fe genuina?
"Porque en Cristo Jesús ni la circuncisión vale algo, ni la incircuncisión, sino *la fe que obra por el amor*" (Gálatas 5:6).

¿Qué hace el amor?
"El odio suscita rencillas*; mas el amor cubre toda suerte de ofensas*" (Proverbios 10:12, VM).

"Y ante todo, tened entre vosotros ferviente amor; *porque el amor cubrirá multitud de pecados*" (1 S. Pedro 4:8).

¿De qué manera se manifiesta el amor mismo?

"El amor es sufrido, es benigno; el amor no tiene envidia, el amor no es jactancioso, no se envanece; no hace nada indebido, no busca lo suyo, no se irrita, no guarda rencor" (1 Corintios 3:4, 5).

EL REINO DE DIOS

¿En qué consiste el reino de Dios?

"Porque el reino de Dios no es comida ni bebida, sino *justicia, paz y gozo* en el Espíritu Santo" (Romanos 14:17).

Nota.—Es privilegio del cristiano tener justicia, paz y gozo: la justicia que es de Dios por la fe (Romanos 3:21, 22); la paz que sobrepasa todo entendimiento (Filipenses 4:7), y que el mundo no puede dar ni quitar; y el gozo que produce permanente regocijo (1 Tesalonicenses 5:16; Filipenses 4:4).

BENIGNIDAD, BONDAD, FE

¿Qué hace la benignidad de Dios para nuestro beneficio?

"Tu benignidad *me ha engrandecido*" (Salmo 18:35).

¿Qué espíritu deberíamos manifestar los unos para con los otros?

"Antes sed *benignos* unos con otros, misericordiosos, perdonándoos unos a otros, como Dios también os perdonó a vosotros en Cristo" (Efesios 4:32).

¿Qué hace la bondad o benignidad de Dios?

"¿O menosprecias las riquezas de su benignidad, paciencia y longanimidad, ignorando que su *benignidad te guía al arrepentimiento*?" (Romanos 2:4).

¿Cómo debemos tratar a los que nos han agraviado?

"*No os venguéis vosotros mismos*, amados míos, sino dejad lugar a la ira de Dios; porque escrito está: Mía es la venganza, yo pagaré, dice el Señor. Así que, si tu enemigo tuviere hambre, dale de comer; si tuviere sed, dale de beber; pues haciendo esto, ascuas de fuego amontonarás sobre su cabeza" (Romanos 12:19, 20).

¿Cómo determina la fe nuestra posición frente a Dios?

"Pero sin *fe es imposible agradar a Dios;* porque es necesario que el que se acerca a Dios crea que le hay, y que es galardonador de los que le buscan" (Hebreos 11:6).

LA MANSEDUMBRE Y LA TEMPLANZA

¿Cómo considera Dios el espíritu manso y sosegado?

"Mas sea adornado el hombre interior del corazón, con la ropa imperecedera de un *espíritu manso y sosegado, que es de gran precio delante de Dios*" (1 S. Pedro 3:4, VM).

En nuestro crecimiento y experiencia cristiana, ¿qué virtud debería acompañar a la fe, la fortaleza y la ciencia o conocimiento?

"Poniendo de vuestra parte todo empeño añadid a vuestra fe el poder; y al poder, la ciencia; y a la ciencia, *la templanza*" (2 S. Pedro 1:5, 6, VM).

Nota.—Una de las más breves y mejores definiciones de temperancia es dominio propio. En el texto la palabra significa mucho más que la mera abstención de bebidas intoxicantes, que es el limitado sentido que ahora se le da. Significa dominio propio, fuerza, poder, o ascendiente sobre toda clase de pasiones excitantes y malas. Indica el dominio que el hombre vencedor o convertido tiene sobre las malas propensiones de su naturaleza. Al comentar este pasaje, el Dr. Alberto Barnes dice: "Las influencias del Espíritu Santo en el corazón hacen moderado a un hombre en todas las complacencias, le enseñan a reprimir sus pasiones, y a gobernarse a sí mismo".

¿Cuán altamente se alaba al que se enseñorea de su espíritu?

"*Mejor* es el que tarda en airarse que el fuerte; *y el que se enseñorea de su Espíritu, que el que toma una ciudad*" (Proverbios 16:32).

DE LA CONDENACIÓN A LA PAZ

¿Qué se dice de todas estas distintas virtudes?

"Contra tales cosas no hay ley" (Gálatas 5:23, ú.p.).

Nota.—La ley condena al pecado. Pero todas estas cosas, siendo virtudes, están en armonía con la ley. Son producidas por el Espíritu; y la ley, que es espiritual, no puede, por lo tanto, condenarlas.

¿Qué unidad se amonesta a los cristianos que guarden?

"Solícitos en guardar *la unidad del Espíritu* en el vínculo de la paz" (Efesios 4:3).

DONES DE LA DEIDAD

¿Acerca de qué debemos estar informados?

"No quiero, hermanos, que ignoréis *acerca de los dones espirituales*" (1 Corintios 12:1).

Cuando Cristo ascendió al cielo, ¿qué dio a los hombres?

"Por lo cual dice: Subiendo a lo alto, llevó cautiva la cautividad, *y dio dones a los hombres*" (Efesios 4:8).

¿Cuáles eran los dones que Cristo dio a los hombres?

"Y él mismo constituyó a unos, *apóstoles*; a otros, *profetas*; a otros, *evangelistas*; a otros, *pastores y maestros*" (vers. 11).

¿Cómo se habla de estos dones en otra parte?

"Y a unos puso Dios en la iglesia, primeramente apóstoles, luego profetas, lo tercero maestros, luego los que hacen milagros, después los que sanan, los que ayudan, los que administran los que tienen don de lenguas" (1 Corintios 12:28).

EL PROPÓSITO DE LOS DONES

¿Con qué propósito fueron concedidos estos dones a la iglesia?

"Para el perfeccionamiento de los santos, para la obra del ministerio, para la edificación del cuerpo de Cristo: ... para que ya no seamos niños, fluctuando de acá para allá, y llevados en derredor por todo viento de enseñanza, por medio de las tretas de los hombres, y su astucia en las artes sutiles del error; sino que, hablando la verdad con amor, vayáis creciendo en todos respectos en el que es la cabeza, es decir, en Cristo" (Efesios 4:12, 14, 15, VM).

¿Qué resultado ha de lograrse por el ejercicio de los dones en la iglesia?

"*Hasta que todos lleguemos a la unidad de la fe y del conocimiento* del Hijo de Dios, *al estado del hombre perfecto*, a la medida de la estatura de la plenitud de Cristo" (vers. 13, VM).

¿Cómo se preserva la unidad en la diversidad de dones?

"Ahora bien, hay diversidad de dones, *pero el Espíritu es el mismo*" (1 Corintios 12:4).

¿Con qué propósito se da la manifestación de este Espíritu?

"Pero a cada uno le es dada la manifestación del Espíritu *para provecho*. Porque a éste es dada por el Espíritu palabra de *sabiduría*; a otro, palabra de *ciencia* [o conocimiento] según el mismo Espíritu; a otro, *fe* por el mismo Espíritu; y a otro *dones de sanidades* por el mismo Espíritu. A otro, el *hacer milagros;* a otro, *profecía;* a otro, *discernimiento de espíritus*; a otro, diversos *géneros de lenguas*; y a otro, *interpretación de lenguas*" (1 Corintios 12: 7-10).

¿Quién controla la distribución de los dones del Espíritu?

"Pero todas estas cosas las hace uno y el mismo Espíritu, *repartiendo a cada uno en particular como él quiere*" (vers. 11).

¿Era el designio de Dios que todos poseyesen los mismos dones?

"¿Son todos apóstoles? ¿son todos profetas? ¿todos maestros? ¿hacen todos milagros? ¿tienen todos dones de sanidad? ¿hablan todos lenguas? ¿interpretan todos?" (vers. 29, 30).

EL TIEMPO DE LOS DONES

¿Habrán de continuar siempre los dones del Espíritu?

"Pero las profecías *se acabarán*, y *cesarán* las lenguas, y la ciencia *acabará*" (1 Corintios 13:8).

¿Cuándo no se necesitarán más los dones del Espíritu?

"Mas *cuando venga lo perfecto*, entonces lo que es en parte se acabará" (vers. 10).

MEDIOS DE COMUNICACIÓN

¿Cómo se comunicaba Dios con el hombre en el Edén?

"Mas Jehová Dios llamó *al hombre, y le dijo: ¿Dónde estás tú?*" (Génesis 3:9).

Desde la caída de Adán y Eva en el pecado, ¿por qué medios generalmente ha dado a conocer Dios su voluntad al hombre?

"Y *he hablado a los profetas*, y aumenté la profecía, y *por medio de los profetas usé parábolas*" (Oseas 12:10).

¿Qué cosas pertenecen a Dios, y cuáles a nosotros?

"*Las cosas secretas* pertenecen a Jehová nuestro Dios; *mas las reveladas son para nosotros y para nuestros hijos para siempre*" (Deuteronomio 29:29).

¿Cuán plenamente y a quiénes revela Dios sus propósitos?

"Porque no hará nada Jehová el Señor, *sin que revele su secreto a sus siervos los profetas*" (Amós 3:7).

EL DON DE PROFECÍA

¿Cómo se manifiesta el Señor a sus profetas?

"Cuando haya entre vosotros profeta de Jehová, *le apareceré en visión, en sueños hablaré con él*" (Números 12:6).

¿Bajo qué influencia hablaban los profetas de la antigüedad?

"Porque nunca la profecía fue traída por voluntad humana, sino que los santos hombres de Dios *hablaron siendo inspirados por el Espíritu Santo*" (2 S. Pedro 1:21. Véase 2 Samuel 23:2).

¿Cómo se muestra además tanto el origen de las profecías como los medios por los cuales se las comunica?

"La revelación de Jesucristo, *que Dios le dio*, para manifestar a sus siervos las cosas que deben suceder pronto; *y la declaró enviándola por medio de su ángel a su siervo Juan*" (Apocalipsis 1:1).

¿Qué ángel reveló a Daniel sus visiones y sueños?

"Aún estaba hablando en oración, cuando el varón *Gabriel*, a quien había visto en la visión al principio, volando con presteza, vino a mí como a la hora del sacrificio de la tarde. Y me hizo entender, *y habló conmigo, diciendo*: Daniel, ahora he salido para darte sabiduría y entendimiento" (Daniel 9:21, 22. Véase también el capítulo 10, y Apocalipsis 22:9,10).

¿Qué espíritu estaba en los profetas cuando redactaban sus declaraciones?

"Los profetas que profetizaron de la gracia destinada a vosotros, inquirieron y diligentemente indagaron acerca de esta salvación, escudriñando qué persona y qué tiempo indicaba *el Espíritu de Cristo que estaba en ellos*, el cual anunciaba de antemano los sufrimientos de Cristo, y las glorias que vendrían tras ellos" (1 S. Pedro 1:10,11).

¿Cómo eran conservadas las palabras que el Señor hablaba a los profetas?

"Tuvo Daniel un sueño, y visiones de su cabeza mientras estaba en su lecho; *luego escribió el sueño, y relató lo principal del asunto*" (Daniel 7:1. Véase Jeremías 51:60; Apocalipsis 1:10, 11).

¿Por quién nos ha hablado Dios en estos últimos días?

"Dios, habiendo hablado muchas veces y de muchas maneras en otro tiempo a los padres por los profetas, en estos postreros días nos ha hablado *por el Hijo*" (Hebreos 1:1, 2).

¿Cuál era una de las funciones que desempeñaría el Mesías?

· "*Profeta* de en medio de ti, de tus hermanos, como yo, te levantará Jehová tu Dios; a él oiréis" (Deuteronomio 18:15).

LA PREDICCIÓN DEL FUTURO

¿Pueden los sabios del mundo predecir el futuro?

"Daniel respondió delante del rey, diciendo: El misterio que el rey demanda, ni sabios, ni astrólogos, ni magos ni adivinos lo pueden reveler al rey" (Daniel 2:27).

¿Quién dijo Daniel que podría revelar los misterios?

"*Pero hay un Dios en los cielos, el cual revela los misterios*, y él ha hecho saber al rey Nabucodonosor lo que ha de acontecer en los postreros días" (vers. 28).

¿Cómo reconoció el profeta Daniel la insuficiencia de la sabiduría humana?

"*Y a mí me ha sido revelado este misterio, no porque en mí haya más sabiduría que en todos los vivientes*, sino para que se dé a conocer al rey la interpretación, y para que entiendas los pensamientos de tu corazón" (vers. 30).

Después de reveler y de interpretar el sueño, ¿qué dijo Daniel?

"El gran Dios ha mostrado al rey lo que ha de acontecer *en lo por venir*" (vers. 45).

¿Cómo muestra Dios su conocimiento?

"He aquí se cumplieron las cosas primeras, y yo anuncio cosas nuevas; antes que salgan a luz, yo os las haré notorias" (Isaías 42:9).

¿Qué fue predicho por el profeta Joel?

"Y después de esto derramaré mi Espíritu sobre toda carne, y *profetizarán vuestros hijos y vuestras hijas; vuestros ancianos soñarán sueños, y vuestros jóvenes verán visiones*" (Joel 2:28).

¿Cuándo comenzó a cumplirse esta predicción?

"Mas esto es lo dicho por el profeta Joel: Y en los postreros días, dice Dios, derramaré de mi Espíritu sobre toda carne, y vuestros hijos y vuestras hijas profetizarán; y vuestros jóvenes verán visiones, y vuestros ancianos soñarán sueños" (Hechos 2:16, 17).

LA CONDUCCIÓN PROFÉTICA

¿Cuáles eran algunos de los dones que Cristo dio a su iglesia?

"Subiendo a lo alto, llevó cautiva la cautividad, y dio dones a los hombres... Y él mismo constituyó *a unos, apóstoles; a otros, profetas; a otros, evangelistas; a otros, pastores y maestros*" (Efesios 4:8,11).

¿Por qué medio libertó y guardó Dios a Israel?

"*Y por un profeta* Jehová hizo subir a Israel de Egipto, *y por un profeta fue guardado*" (Oseas 12:13).

Cuando Moisés se quejó de su torpeza de lengua, ¿qué dijo Dios que Aarón sería para él?

"*Y él hablará por ti* al pueblo; *él te será a ti en lugar de boca*, y tú serás para él en lugar de Dios" (Éxodo 4:16).

¿Cómo llamó Dios después a Aarón?

"Jehová dijo a Moisés: Mira, yo te he constituido dios para Faraón, y tu hermano Aarón será *tu profeta*" (Éxodo 7:1).

PRUEBAS DE VERDADEROS Y FALSOS PROFETAS

¿Cuál es una de las pruebas que identifica a los profetas falsos?

"Si el profeta hablare en nombre de Jehová, *y no se cumpliere lo que dijo, ni aconteciere, es palabra que Jehová no ha hablado*; con presunción la habló el tal profeta; no tengas temor de él" (Deuteronomio 18:22).

¿Qué otra prueba debería aplicarse para determinar la validez de las pretensiones de un profeta?

"Cuando se levantare en medio de ti profeta, o soñador de sueños, y te anunciare señal o prodigios, y si se cumpliere la señal o prodigio que él te anunció,

diciendo: *Vamos en pos de dioses ajenos, que no conociste, y sirvámosles*; no darás oído a las palabras de tal profeta, ni al tal soñador de sueños; porque Jehová vuestro Dios os está probando, para saber si amáis a Jehová vuestro Dios con todo vuestro corazón, y con toda vuestra alma. En pos de Jehová vuestro Dios andaréis; a él temeréis, guardaréis sus mandamientos y escucharéis su voz, a él serviréis, y a él seguiréis" (Deuteronomio 13:1-4).

Nota.—Por estos pasajes bíblicos se nota que, en primer lugar, si las palabras de un profeta no demuestran ser verdaderas, ello es evidencia de que Dios no lo ha enviado. Por otra parte, aunque acontezcan las cosas predichas, si el presunto profeta trata de inducir a otros a quebrantar los mandamientos de Dios, esto, a pesar de todas las señales, debe ser evidencia positiva de que él no es un profeta verdadero.

¿Qué regla dio Cristo para distinguir entre los profetas verdaderos y los falsos?

"Por sus *frutos l*os conoceréis" (S. Mateo 7:20).

ACTITUD HACIA LOS PROFETAS DE DIOS

¿Cómo usaban los antiguos profetas de Dios las palabras de los profetas anteriores para exhortar al pueblo a la obediencia?

"¿No son éstas las palabras *que proclamó Jehová por medio de los profetas primeros*, cuando Jerusalén estaba habitada y tranquila?" (Zacarías 7:7).

¿Qué se les promete a los que creen en los profetas de Dios?

"*Creed en Jehová vuestro Dios, y estaréis seguros; creed a sus profetas, y seréis prosperados*" (2 Crónicas 20:20).

¿Qué amonestación se da acerca del don de profecía?

"*No menospreciéis las profecías.* Examinadlo todo; retened lo bueno" (1 Tesalonicenses 5:20, 21).

¿Qué caracterizará a la iglesia postrera o remanente?

"Entonces el dragón se llenó de ira contra la mujer; y se fue a hacer guerra contra el resto de la descendencia de ella, *los que guardan los mandamientos de Dios y tienen el testimonio de Jesucristo*" (Apocalipsis 12:17).

¿Qué es el testimonio de Jesucristo?

"El testimonio de Jesús *es el espíritu de la profecía*" (Apocalipsis 19:10, VM. Véase Apocalipsis 1:9).

¿Qué sucede cuando falta este don?

" Sin profecía *el pueblo se desenfrena*; mas el que guarda la ley es *bienaventurado*" (Proverbios 29:18).

LA PROMESA Y PREPARACIÓN DEL PENTECOSTÉS

Justamente antes de su ascensión, ¿qué les dijo Jesús a sus discípulos que esperaran?

"He aquí, yo enviaré la promesa de mi Padre sobre vosotros; pero quedaos vosotros en la ciudad de Jerusalén, *hasta que seáis investidos de poder desde lo alto*" (S. Lucas 24:49).

¿Con qué dijo que ellos serían bautizados?

"Vosotros seréis bautizados *con el Espíritu Santo* dentro de no muchos días" (Hechos 1:5).

Nota.—Juan el Bautista había predicho este bautismo. Él dijo: "Yo a la verdad os bautizo en agua para arrepentimiento; pero el que viene tras mí, cuyo calzado yo no soy digno de llevar, es más poderoso que yo; él os bautizará en Espíritu Santo y fuego" (S. Mateo 3:11).

¿Para qué obra los prepararía este bautismo?

"Pero recibiréis poder, cuando haya venido sobre vosotros el Espíritu Santo, *y me seréis testigos en Jerusalén*, en toda Judea, en Samaria, y hasta lo último de la tierra" (Hechos 1:8).

RESULTADOS DEL PENTECOSTÉS

¿Cuáles fueron algunos de los resultados de la predicación del Evangelio bajo el derramamiento del Espíritu?

"Al oír esto, se compungieron de corazón, y dijeron...: Varones hermanos, ¿qué haremos? Pedro les dijo: Arrepentíos, y bautícese coda uno de vosotros en el nombre de Jesucristo para perdón de los pecados; y recibiréis el don del Espíritu Santo... Así que, los que recibieron su palabra fueron bautizados; *y se añadieron aquel día como tres mil personas*" (Hechos 2:37, 38, 41) "Y por la mano de los apóstoles se hacían muchas señales y prodigios en el pueblo; ... *y los que creían en el Señor aumentaban más, gran número así de hombres como de mujeres*" (Hechos 5:12, 14). "Y crecía la palabra del Señor, y *el* número de los discípulos se multiplicaba grandemente en Jerusalén; *también muchos de los sacerdotes obedecían a la fe*" (Hechos 6:7).

¿Cómo afectó la persecución a la predicación del Evangelio?

"En aquel día hubo una gran persecución contra la iglesia que estaba en Jerusalén; y todos fueron esparcidos por las tierras de Judea y de Samaria, salvo los apóstoles... *Pero los que fueron esparcidos iban por todas partes anunciando el evangelio*" (Hechos 8:1, 4).

Nota.—"La persecución ha tenido sólo la tendencia de extender y establecer la fe que se proponía destruir... No hay lección que los hombres han sido tan lentos en aprender como la de que, oponerse y perseguir a los hombres, es precisamente la manera de confirmarlos en sus opiniones, y extender sus doctrinas" (Dr. Alberto Barnes, sobre Hechos 4:4).

UN DERRAMAMIENTO EN NUESTROS DÍAS

¿Qué profecía se cumplió en el derramamiento pentecostal del Espíritu en el tiempo de los apóstoles?

"Entonces Pedro, poniéndose en pie con los once, alzó la voz y les habló diciendo:... Estos no están ebrios, como vosotros suponéis... *Mas esto es lo dicho por el profeta Joel*: Y en los postreros días, dice Dios, derramaré de mi Espíritu sobre toda carne, y vuestros hijos y vuestras hijas profetizarán; vuestros jóvenes verán visiones, y nuestros ancianos soñarán sueños; y de cierto sobre mis siervos y sobre mis siervas en aquellos lías derramaré de mi Espíritu, y profetizarán" Hechos 2:14:18. Véase Joel 2:28, 29).

Qué expresiones de la profecía de Joel parecen implicar un doble cumplimiento de este derramamiento del Espíritu?

"Vosotros también, hijos de Sion, alegraos y gozaos en Jehová vuestro Dios; porque os ha dado la primera lluvia a su tiempo, y hará descender sobre vosotros *lluvia temprana y tardía como al principio*" (Joel 2:23. Véase también Oseas 6:3).

Nota.—En Palestina la lluvia temprana prepara el terreno para la siembra de la semilla, y la lluvia tardía madura el grano para la siega. Así la efusión temprana del Espíritu preparó al mundo para la amplia siembra de la semilla del Evangelio, y la efusión final vendrá para madurar el dorado grano para la siega de la tierra, que Cristo dijo que "es el fin del mundo" (S. Mateo 13:37-39, BJ; Apocalipsis 14:14, 15).

¿Qué se nos dice que debemos pedir en el tiempo de la "lluvia tardía"?

"*¡Pedid a Jehová la lluvia en la sazón de la lluvia tardía!* Pues Jehová es el que da los relámpagos; y él os dará lluvias abundantes; a cada uno las plantas del campo" (Zacarías 10:1, VM).

Nota.—Antes que los apóstoles recibieran el bautismo del Espíritu en la lluvia temprana el día de Pentecostés, todos ellos "perseveraban unánimes en oración y ruego" (Hechos 1:14). Durante ese tiempo ellos confesaron sus faltas, eliminaron sus diferencias, renunciaron a sus ambiciones egoístas y a sus contenciones por la posición y el poder, de modo que cuando llegó el tiempo de la efusión del Espíritu, "estaban todos unánimes juntos", listos para recibirlo. A fin de estar preparados para el derramamiento final del Espíritu, debe quitarse de nuevo todo pecado y ambición egoísta, y similarmente debe realizarse una obra de gracia en el corazón de los hijos de Dios.

LA AMONESTACIÓN DEL ÁNGEL DE APOCALIPSIS

¿Cómo fue descrita por el revelador la obra final del Evangelio bajo el derramamiento del Espíritu?

"Después de esto vi a otro ángel descender del cielo con gran poder; y la tierra fue alumbrada con su gloria" (Apocalipsis 18:1).

¿Qué dice este ángel?

"Y clamó con voz potente, diciendo: *Ha caído, ha caído la gran Babilonia*, y se ha hecho habitación de demonios y guarida de todo espíritu inmundo, y albergue de toda ave inmunda y aborrecible" (vers. 2).

Nota.—El mundo religioso estará entonces en la misma condición en que estaba la nación judía después

de haber rechazado a Cristo en su primer advenimiento (véase 2 Timoteo 3:1-5).

¿Qué dijo San Pedro el día de Pentecostés que hicieran sus oyentes?

"Y con otras muchas palabras testificaba y les exhortaba, diciendo: *Sed salvos de esta perversa generación*" (Hechos 2:40).

¿Qué similar llamamiento y exhortación se hará antes del derramamiento final del Espíritu?

"Y oí otra voz del cielo, que decía: *Salid de ella, pueblo mío*, para que no seáis partícipes de sus pecados, ni recibáis parte de sus plagas; porque sus pecados han llegado hasta el cielo, y Dios se ha acordado de sus maldades" (Apocalipsis 18:4, 5).

Nota.—Bajo el derramamiento final del Espíritu se hará una gran obra en poco tiempo. Muchas voces harán sonar en toda la tierra el clamor de amonestación. Se obrarán por los creyentes señales y prodigios, y, como en Pentecostés, miles se convertirán en un día.

Los que a semejanza de los incrédulos judíos no presten atención a la invitación final del Evangelio, serán condenados a la destrucción. Las siete últimas plagas los alcanzarán, así como la guerra, el hambre, la muerte y la destrucción sobrecogieron a los judíos que, al no creer en Cristo, no prestaron atención a su amonestación a huir y se encerraron en Jerusalén para su propia ruina. Los que presten atención a la amonestación y se aparten del pecado y de los pecadores, se salvarán.

CAPÍTULO 24

Siguiendo a Jesús

¿Qué ofrenda ordenó el rey Ezequías que se hiciera cuando restableció el culto del templo, después de un período de apostasía?

"Entonces mandó Ezequías *sacrificar el holocausto* en el altar; y cuando comenzó el holocausto, comenzó también el cántico de Jehová, con las trompetas y los instrumentos de David rey de Israel" (2 Crónicas 29:27).

¿Cómo interpretó Ezequías ante el pueblo judío el significado de este acto religioso?

"Y respondiendo Ezequías, dijo: *Vosotros os habéis consagrado ahora a Jehová*; acercaos, pues, y presentad sacrificios y alabanzas en la casa de Jehová. Y la multitud presentó sacrificios y alabanzas; y todos los generosos de corazón trajeron holocaustos" (vers. 31).

Nota.—Los holocaustos matutinos y vespertinos (Éxodo 29:38-41) simbolizaban la consagración diaria del pueblo escogido a Dios.

LLAMAMIENTO A LA CONSAGRACIÓN CONTINUA

¿Cómo insta el apóstol Pablo a todos los cristianos a consagrarse a Dios?

"Así que, hermanos, os ruego por las misericordias de Dios, que presentéis vuestros cuerpos en sacrificio vivo, santo, agradable a Dios, que es vuestro culto racional" (Romanos 12:1).

¿Qué se declara que son los sacrificios de alabanza?

"Así que, ofrezcamos siempre a Dios, por medio de él, sacrificio de alabanza, es decir, fruto de labios que confiesan su nombre" (Hebreos 13:15).

¿Cómo debe realizar la iglesia cristiana el culto de consagración?

"Vosotros también, como piedras vivas, sed edificados como casa espiritual y sacerdocio santo, *para ofrecer sacrificios espirituales* aceptables a Dios por medio de Jesucristo" (1 S. Pedro 2:5).

EL EJEMPLO DE JESÚS

¿Quién ha dado ejemplo de consagración completa?

"Y el que quiera ser el entre vosotros será vuestro siervo, *como el Hijo del Hombre* no vino para ser servido, sino para servir, y para dar su vida en rescate por muchos" (S. Mateo 20:27, 28).

¿Qué posición ha tomado Jesús entre sus hermanos?

"Porque, ¿cuál es mayor, el que se sienta a la mesa, o el que sirve? ¿No es el que se sienta a la mesa? *Mas yo estoy entre vosotros como el que sirve*" (S. Lucas 22:27).

LA CONSAGRACIÓN

¿En qué consiste la semejanza a Cristo?

"Haya, pues, *en vosotros este sentir* que hubo también en Cristo Jesús" (Filipenses 2:5).

¿Qué lo indujo a hacer a Cristo el espíritu de mansedumbre y consagración?

"Sino que se despojó a sí mismo, *tomando forma de siervo*, hecho semejante a los hombres" (vers. 7).

¿Hasta qué grado se humilló Jesús?

"Y estando en la condición de hombre, se humilló a sí mismo, *haciéndose obediente hasta lo muerte, y muerte de cruz*" (vers. 8).

LLAMAMIENTO A LA CONSAGRACIÓN COMPLETA

¿Con qué palabras nos exhorta él a

consagrarnos de la misma manera?

"Llevad mi yugo sobre vosotros, y aprended de mí, que soy manso y humilde de corazón; y hallaréis descanso para vuestras almas" (S. Mateo 11:29).

¿Qué pone él como condición del discipulado?

"Así, pues, cualquiera de vosotros que no renuncia a todo lo que posee, no puede ser mi discípulo" (S. Lucas 14:33).

¿Qué cosa prueba que uno no pertenece a Cristo?

"Y si alguno no tiene el Espíritu de Cristo, no es de él" (Romanos 8:9).

¿Cómo debería andar el que profesa permanecer en Cristo?

"El que dice que permanece en él, *debe andar como él anduvo*" (1 S. Juan 2:6).

¿Somos dueños de nosotros mismos?

"¿O ignoráis que... *no sois vuestros?* Porque habéis sido comprados por precio" (1 Corintios 6:19, 20).

¿Qué se nos exhorta por lo tanto que hagamos?

"Glorificad, pues, a Dios en vuestro cuerpo y en vuestro espíritu, los cuales son de Dios" (vers. 20).

Nota.—Nuestro tiempo, nuestras fuerzas y recursos pertenecen a Dios, y deberían dedicarse a su servicio.

¿De quién son templo los cuerpos de los cristianos?

"¿O ignoráis que vuestro cuerpo *es templo del Espíritu Santo*, el cual está en vosotros, el cual tenéis de Dios?" (vers. 19).

Cuando uno está verdaderamente consagrado, ¿para qué está listo?

"Después oí la voz del Señor, que decía: ¿A quién enviaré, y quién irá por nosotros? Entonces *respondí yo: heme aquí, envíame a mí*" (Isaías 6:8).

¿Cómo se expresa de otra manera esta disposición para servir?

"He aquí, como los ojos de los siervos miran a la mano de sus señores, y como los ojos de la sierva a la mano de su señora, *así nuestros ojos miran a Jehová nuestro Dios*" (Salmo 123:2).

¿QUE IMPORTANCIA TIENE?

¿Importa lo que uno cree, o basta que sea sincero?

Dios os ha "escogido desde el principio para salvación, mediante la santificación por el Espíritu y *la fe en la verdad*" (2 Tesalonicenses 2:13).

Nota.—La doctrina influye en la vida. La verdad guía a la vida y a Dios; el error, a la muerte y la destrucción. Algunos piensan o dicen que no importa qué Dios se adore, con tal que se lo haga con sinceridad. Eso es como pensar o decir que no importa lo que se coma o beba, con tal que guste; o que da lo mismo tomar una carretera que otra, siempre que se piense que es la carretera correcta. La sinceridad es una virtud; pero no es la piedra de toque de la sana doctrina. Dios quiere que nosotros conozcamos la verdad, y ha hecho provisión mediante la cual podemos saber qué es la verdad.

¿Pensaba Josué que no importaba a qué dios sirviera Israel?

"Ahora pues, temed a Jehová, y servidle con integridad y en verdad; *y quitad de entre vosotros los dioses a los cuales sirvieron vuestros padres al otro lado del río, y en Egipto; y servid a Jehová.* Y si mal os parece servir a Jehová, escogeos hay a quién sirváis; si a los dioses a quienes sirvieron vuestros padres, cuando estuvieron al otro lado del río, o a los dioses de los amorreos en cuya tierra habitáis; pero yo y mi casa serviremos a Jehová" (Josué 24:14, 15).

Nota.—La influencia de todo culto idolátrico es degradante (véase Romanos 1:21-32; Números 15; 1 Corintios 1:20; 1 S. Juan 5:21).

¿Qué consejo se le dio a Timoteo mientras se preparaba para el ministerio evangélico?

"Entre tanto que voy ocúpate en la lectura, la exhortación y *la enseñanza*... Ten cuidado de ti mismo y de la *doctrina* (1 Timoteo 4:13, 16).

¿Qué se le encargó solemnemente en cuanto a su obra pública?

"Te encarezco delante de Dios y del Señor Jesucristo, que juzgará a los vivos y a los muertos en su manifestación y en su reino, *que prediques la palabra... redarguye, reprende, exhorta con toda paciencia y doctrina*" (2 Timoteo 4:1, 2).

¿Qué instrucción similar se le dio a Tito?

"Mas tú enseña lo que es conforme a la sana doctrina... *Muéstrate dechado de buenas obras: pureza de doctrina, dignidad, palabra sana, intachable*" (Tito 2:1, 7, 8, BJ).

AMONESTACIÓN CONTRA LAS FALSAS DOCTRINAS

¿De qué clase de doctrina debemos precavernos?

"No seamos niños fluctuantes, llevados por doquiera de *todo viento de doctrina*" (Efesios 4:14. Véase también Hebreos 13:9).

¿Qué es un "viento de doctrina"?

"Y los profetas no son más que *viento, la Palabra en ellos no se alberga*" (Jeremías 5:13, EP).

Nota.—Una doctrina no es un viento de doctrina por que se la llame así. Es un viento de doctrina cuando no se basa en la Palabra de Dios.

¿Qué peligro entraña la enseñanza de falsas doctrinas?

"Se desviaron de la verdad, diciendo que la resurrección ya se efectuó, y *trastornan la fe de algunos*" (2 Timoteo 2:18).

¿Qué clase de culto es resultado de las falsas doctrinas?

"*¡En vano me rinden culto*, enseñando doctrinas que son preceptos de los hombres! " (S. Mateo 15:9, VM).

¿Por qué doctrines serán extraviados algunos en los últimos días?

"Pero el Espíritu dice claramente que en los postreros tiempos algunos apostatarán de la fe, escuchando a espíritus engañadores y a *doctrinas de demonios*" (1 Timoteo 4:1. Véase 2 S. Pedro 2:1).

¿De qué apartarían los hombres sus oídos?

"*Porque vendrá tiempo cuando no sufrirán la sana doctrina*, sino que teniendo comezón de oír, se amontonarán maestros conforme a sus propias concupiscencias, y *apartarán de la verdad el oído y se volverán a las fábulas*" (2 Timoteo 4:3, 4).

LA PRUEBA DE LO VERDADERO Y LO FALSO

¿Cómo podemos determinar la veracidad de cualquier doctrina?

"*Examinadlo todo*; retened lo bueno" (1 Tesalonicenses 5:21).

Nota.—"La Biblia es la piedra de toque de toda doctrina. Cualquier cosa que no armonice y concuerde con ella, no debe aceptarse. No hay sino una norma de lo eternamente verdadero y de lo eternamente falso, y ella es la Biblia" (T. De Witt Talmage).

¿Para qué es útil toda la Escritura?

"Toda la Escritura es inspirada por Dios, y *útil para enseñar*" (2 Timoteo 3:16).

¿Para qué capacitará al maestro fiel la sana doctrina?

"Reteniendo firme la palabra fiel, que es conforme a la enseñanza, *para que pueda así exhortar en la sana doctrina, y convencer a los que contradicen*" (Tito 1:9, VM).

NUESTRA ACTITUD PERSONAL HACIA LA VERDAD

¿Quiénes son discípulos de Jesús, y qué hará la verdad en favor de los que la reciban?

"*Si vosotros permaneciereis en mi palabra*, seréis verdaderamente mis discípulos; y *conoceréis la verdad, y la verdad os hará libres*" (S. Juan 8:31, 32).

¿Por medio de qué serán ellos santificados?

"Santifícalos en tu verdad; *tu palabra es verdad* (S. Juan 17:17).

¿Podemos cerrar nuestros oídos a la verdad y ser inocentes delante de Dios?

"El que aparta su oído para no oír la ley, *su oración también es abominable*" (Proverbios 28:9)

¿Qué dijo Cristo acerca de los que quieren hacer la voluntad de Dios?

"El que quiera hacer la voluntad de Dios, *conocerá si la doctrina es de Dios, o si yo hablo por mi propia cuenta*" (S. Juan 7:17. Véase también Salmo 25:9; S. Juan 8:12).

RESULTADOS DE NUESTRA ELECCIÓN

¿Qué permitirá Dios que sobrevenga a los que rechazan la verdad?

"Por cuanto no recibieron el amor de la verdad para ser salvos. Por esto Dios *les envía un poder engañoso*, para que crean la mentira, a fin de que sean condenados todos los que no creyeron a la verdad, sino que se complacieron en la injusticia" (2 Tesalonicenses 2:10-12).

¿Qué suerte aguarda a los guías ciegos y a sus seguidores?

"Dejadlos; son ciegos guías de ciegos; y si el ciego guiare al ciego, *ambos caerán en el hoyo*" (S. Mateo 15:14).

¿A quiénes se abrirán finalmente las puertas del cielo?

"Abrid las puertas, y entrará *la gente justa,*

guardadora de verdades" (Isaías 26:2. Véase también Apocalipsis 22:14).

ANDANDO EN LA LUZ

¿Cuán importante es que andemos en la luz cuando la recibimos?

"Andad entre tanto que tenéis luz, *para que no os sorprendan las tinieblas*; porque el que anda en tinieblas, no sabe a dónde va" (S. Juan 12:35).

Nota.—Es importante preguntarnos de una vez cuál es nuestro deber, sin dilatar la obediencia con la excusa de esperar hasta obtener mayor conocimiento. Hacer como Balaam —que consultó de nuevo a Dios acerca de lo que ya se le había dicho clara y expresamente— es peligroso. Ni deberíamos pedir, con los incrédulos judíos, una señal del cielo para convencernos de que debemos obedecer la palabra escrita. ¿Ha hablado Dios? ¿Es ésa su palabra? Entonces obedezcamos. No insultemos al cielo preguntando si es bueno obedecer o no (véase 1 Reyes 22:1-36; Ezequiel 14:1-5).

¿Bajo qué condición se nos promete la limpieza del pecado?

"*Pero si andamos en la luz, como él está en la luz*, tenemos comunión los unos con los otros, y la sangre de Jesucristo su Hijo nos limpia de todo pecado" (1 S. Juan 1:7, VM).

¿Quién es la luz del mundo?

"*Yo soy la luz del mundo*; el que me sigue, no andará en tinieblas, sino que tendrá la luz de la vida" (S. Juan 8:12).

¿Cómo debemos andar en Cristo?

"Por tanto, *de la manera que habéis recibido al Señor Jesucristo, andad en él*" (Colosenses 2:6).

¿Qué nos ha dada Dios para guiar nuestros pies con acierto en la senda de la verdad y el deber?

"*Lámpara es a mis pies* tu palabra, y *luz a mi camino*" (Salmo 119:105, VM. Véase Proverbios 6:23).

¿Qué hace la exposición de la palabra de Dios?

"La exposición de tus palabras *alumbra*; hace entender a los simples" (Salmo 119:130).

¿Quiénes, dice Cristo, serán bienaventurados mediante el estudio de las profecías del libro de Apocalipsis?

"Bienaventurado *el que lee*, y *los que oyen* las palabras de esta profecía, y *guardan* las cosas en ella escritas" (Apocalipsis 1:3).

Nota.—Nosotros estamos viviendo en los últimos días, en la generación que ha de oír el mensaje final de amonestación que este libro contiene (véase Apocalipsis 14:6-10;18:1-5).

MÁS LUZ PARA LOS JUSTOS

¿Cuánto tiempo puede esperar el justo a que aumente la luz destinada a iluminar su camino?

"Mas la senda de los justos es como la luz de la aurora, *que va en aumento hasta que el día es perfecto*" (Proverbios 4:18).

Nota.—Cuanto más fervientemente deseemos conocer la voluntad de Dios, mientras vivamos de acuerdo con la luz que tengamos, más luz y verdad procedentes de Dios brillarán sobre nuestra senda. Si la luz se esparce para los justos, éllos son los que pueden esperar obtener un conocimiento avanzado, y descubrir que se les presentan nuevos deberes mediante el estudio de la Palabra de Dios.

¿Cómo respondió Dios a la sinceridad de la adoración de Cornelio?

"Este *vio claramente en una visión, como a la hora novena del día, que un ángel de Dios entraba donde él estaba, y le decía: Cornelio*. Él, mirándole fijamente, y atemorizado, dijo: ¿Qué es, Señor? Y le dijo: Tus oraciones y tus limosnas han subido para memoria delante de Dios" (Hechos 10:3, 4).

El hecho de que Dios reconociera el culto que Cornelio le rendía, ¿era una evidencia de que este no tenía nada más que aprender o hacer?

"Envía, pues, ahora hombres a Jope, y haz venir a Simón, el que tiene por sobrenombre Pedro. Este posa en casa de cierto Simón curtidor, que tiene su casa junto al mar; *él te dirá lo que es necesario que hagas*" (vers. 5, 6).

Nota.—La razón por la cual el Señor favoreció a Cornelio con la visita de uno de sus ángeles no era que Cornelio conociera perfectamente el camino de la salvación, sino que el Señor vio que abrigaba un sincero deseo de recibir más luz, y un espíritu dispuesto a cumplir todos los requerimientos conocidos. Ese espíritu era, y es, agradable a Dios. Todos pueden recibir ahora un conocimiento superior si, como Cornelio, lo buscan y están dispuestos a caminar a su luz cuando lo obtienen. Si lo descuidan, son culpables delante de Dios, y serán dejados en las manos del enemigo.

LOS RESULTADOS DE NUESTRA ELECCIÓN

¿Qué sucederá con la luz que uno tenga si no anda en ella?

"La lámpara del cuerpo es el ojo; cuando tu ojo es bueno, también todo tu cuerpo está lleno de luz; pero cuando tu ojo es maligno, también tu cuerpo está en tinieblas. *Mira pues, no suceda que la luz que hay en ti, no sea tinieblas* (S. Lucas 11:34, 35).

¿Por qué permanecían los pecados de aquellos que rechazaron a Cristo?

"Jesús les respondió: Si fuerais ciegos, no tendríais pecado; mas ahora, porque decís: Vemos, vuestro pecado permanece" (S. Juan 9:41. Véase también S. Juan 15:22).

Nota.—Cuando se tienen conocimientos superiores la responsabilidad es mayor. El deber está siempre en proporción con el conocimiento y las oportunidades. La verdad presente siempre trae consigo el deber presente .

¿Por qué son condenados los que no vienen a la luz?

"Y ésta es la condenación: que la luz vino al mundo, y los hombres *amaron más las tinieblas que la luz, porque sus obras eran malas*" (S. Juan 3:19).

Si uno busca realmente la verdad, ¿qué hará?

"Mas el que practica la verdad *viene a la luz*, para que sea manifiesto que sus obras son hechas en Dios" (vers. 21).

¿Qué serán finalmente inducidos a creer los que rechazan la luz y la verdad?

"Por esto Dios les envía un poder engañoso, *para que crean la mentira*, a fin de que sean condenados todos los que no creyeron a la verdad, sino que se complacieron en la injusticia" (2 Tesalonicenses 2:11, 12).

Nota.—Lo opuesto a la luz son las tinieblas; lo opuesto a la verdad es la mentira o el error. Para los que rechazan la luz y la verdad, quedan solamente las tinieblas y el error. A veces se dice en las Escrituras que Dios envía lo que en realidad permite que venga, o sea lo que el hombre ha provocado que venga.

¿Bajo qué condición podemos ser hechos participantes de Cristo?

"Porque somos hechos participantes de Cristo, *con tal que retengamos firme hasta el fin nuestra confianza del principio*" (Hebreos 3:14).

La Biblioteca Cristiana

◆ Doce tomos, hermosamente ilustrados a todo color.

◆ Un verdadero tesoro de conocimiento bíblico que cubre toda la Biblia.

◆ Conozca el panorama de la historia desde el comienzo del pecado y la creación de nuestro mundo hasta que el pecado sea destruido para siempre.

◆ Encuentre respuestas a sus preguntas en la Biblioteca Cristiana:

Patriarcas y profetas   *Los hechos de los apóstoles*
Profetas y reyes   *El triunfo del amor de Dios*
El Deseado de todas las gentes   y *Las hermosas enseñanzas de la Biblia*

Las Mejores Historias para los Niños

Este juego de cinco tomos de historias contemporáneas, que apelan a los niños de hoy y satisfacen sus necesidades, contiene coloridas ilustraciones en durable tapa dura. Historias emocionantes y con fundamento moral que ayudan a los niños a relacionarse con asuntos como la oración, la autoestima, los temores, el sexo, la violencia, y muchos problemas más con los que se enfrentan en la sociedad actual. También disponible en inglés y en francés.

Las Bellas Historias de la Biblia

Esta colección clásica de diez tomos que ofrece más de 400 historias del libro más extraordinario que jamás se haya escrito, la Biblia, fue escrita además con el propósito de enseñar a su hijo lecciones de carácter moral, como son la honestidad, el respeto a los padres, la obediencia, la bondad, y muchas otras más. Cada tomo contiene hermosas ilustraciones en colores que le dan vida a cada historia. Esta es en verdad, la manera más agradable y efectiva de influir sobre el carácter de su hijo.

Mis Amigos de la Biblia
Para niños de edad preescolar

Imagínese la alegría de su niño cuando usted le lea la encantadora historia del burrito que llevó a la cansada María cuesta arriba hacia Belén; o la de Zaqueo, el engañador, que se subió a un árbol de sicómoro para ver pasar a Jesús. Cada libro contiene cuatro historias de la Biblia que les encantarán a sus niños ya que están escritas en forma clara, sencilla y fácil de entender. Las ilustraciones a todo color son nítidas y de la más alta calidad posible. Ningún otro juego de libros para niños los supera. En tapa dura, a todo color, cinco tomos.

Para más información, envíe el cupón adjunto, o escriba a:
Pacific Press® Marketing Service, P.O. Box 5353, Nampa, ID 83653.

MÁS LECTURA FAMILIAR

El Gran Conflicto
(The Great Controversy)

Él Enseñó Amor
(He Taught Love)

Manual Médico Familia
(Family Medical Guide)

Salud en su Mesa
(Health on Your Table)

Las Respuestas de Dios a sus Preguntas
(God's Answers to Your Questions)

Jesús, Amigo de los Niño
(Jesus, Friend of Children)

El Gato en la Jaula
(The Cat in the Cage)

Ocho Recursos para Vivir Sano y Feliz
(Eight Sure Steps)

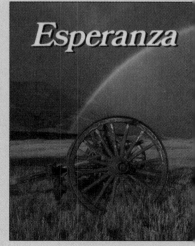

Esperanza
(Hope)